新 潮 文 庫

海の都の物語

ヴェネツィア共和国の一千年

1

塩 野 七 生 著

新 潮 社 版

8711

目次

2巻目次

3巻目次

4巻目次

5巻目次

6巻目次

⑪大運河
⑫ジュデッカ運河
⑬カナレッジョ河
⑭税関
⑮メルチュリア
⑯カ・ドーロ
⑰国営造船所
⑱サン・ピエトロ・ディ・カステッロ
⑲ジュデッカ島
⑳リアルト橋

①元首官邸
②聖マルコ広場
③聖ポーロ広場
④聖グレゴリオ教会
⑤フラーリ教会
⑥聖ジャコモ教会
⑦聖マリア・フォルモーザ教会
⑧聖ザッカリア教会
⑨聖ジョルジョ・マジョーレ教会
⑩聖ミケーレ教会

15世紀のヴェネツィア

カバーの版画について

この木版画の全体図は、もちろんコピーだが、『海の都の物語』を書いていた五年間ずっと、わが家の書斎の壁面を飾っていた。私もまた広重の『東海道五十三次』が大好きだが、あれを眺めていると胸の中がほっと暖かくなるようななつかしさで満たされてくるからである。この木版画も、それに似たなつかしさを感じさせるのだった。

もしかしたら、広く海外に飛躍し始める時代に生きたマルコ・ポーロとその仲間のヴェネツィアの交易商人たちも、海外で母国を想うときは、胸の中を満たすなつかしさとともに、この木版画に描かれたヴェネツィアを想っていたのかもしれない。現に見るヴェネツィアではなくて、心の内にあるヴェネツィア。

というわけで、彼らが活躍する『海の都の物語』の最初の巻をこの表紙で送り出すのは、それを書いた私にとってはごく自然な選択であったのだった。

二〇〇九年春、ローマにて

塩野七生

海の都の物語

ヴェネツィア共和国の一千年

1

第一話
ヴェネツィア誕生

エッソ・スタンダードだったかオリベッティだったか忘れたが、このうちのどちらかの社が製作した「空から眺めたイタリア」というドキュメンタリー映画の、ヴェネツィア編を見た時である。このような場合、ガイド・ブックあたりでおなじみの、水の上に浮ぶ現在のヴェネツィアの街の美しい姿が、スクリーンいっぱいに映しだされるのではじまるのが普通だ。ところが、これをつくったフォルコ・クィリチ監督はちがった。

朝もやの中に茫洋《ぼうよう》と広がる、潟《ラグーナ》が映しだされたのである。ところどころ水の上に顔をだしている地表は、一面に葦《あし》でおおわれているだけで、風にそよぐ葦のほかは、樹木の影さえもない。

だが、この場面は、まったくの一瞬、ほんの一、二秒の間映しだされただけだった。少しずつもやが晴れるにしたがって視界もはっきりしてくるように、朝もやの中に沈んでいた葦のそよぐだけの潟《ラグーナ》は、少しずつその姿を変えはじめたのである。まるで、魔法の杖《つえ》が、ゆっくりとひと振りされたかのようであった。ヴェネツィアの街全体が、朝の澄んだ大気の中、陽を受けて光る蒼《あお》い海の上に登場したのである。

バック・ミュージックも聴こえない、解説もない、無言の変容であった。いや、その変容自体が音楽まで伴っているかのように思わせる、壮大な交響詩であった。

このドキュメント映画を見るまでは、これから書くヴェネツィア共和国の通史を、「水の都の物語」と題するつもりでいたのである。ヴェネツィアとともにイタリア・ルネサンスを代表するもうひとつの都市国家フィレンツェが、花の都と通称されており、一方のヴェネツィアは、水の上の都と呼ばれてきたからであった。それが、このドキュメンタリーを見てからは、水の都という表題では不適当な気がしてきたのである。

水という文字が与える印象は、静的で、動くといっても、いちように同じ方向に静かに流れていくという感じを持ってしまう。しかし、ヴェネツィア共和国の歴史は、それとはまったくちがって、複雑で多様で、おそろしいくらいの動きに満ちていたのだ。

それに、水の都と言うならば、ヨーロッパはもとより、日本にだって松江もあり、大阪だって水の都と言えないことはない。ところが、私は、ただ単に水の上に町をつくった人々を書くのではなく、海に出ていくことによって生きた人々を書こうとしている。水の上に住んだというだけではない、海に住んだ人々を書こうとしているのだ。

これから書く作品の表題は、「水の都の物語」ではなく、「海の都の物語」でなければならなかった。

蛮族から逃れて

「アッティラが、攻めてくる！」

「フン族が、押し寄せてくる！」

「アクィレイアも、焼打ちされた。女子供までが、皆殺しにされたそうだ」

蛮族は怖《おそろ》しい。抵抗した者もしない者も、同じように殺される。財宝を差し出しても、容赦してくれない。蛮族の通り過ぎたあとは、まるで草木も生えてこないかと思われるほど痛めつけられるのは、風よりも速い噂《うわさ》になって広まっていた。人々は、司祭を取り囲んで、口々に不安を訴えた。

世は、ローマ帝国末期。蛮族の侵入が、「ローマの平和」になじんでいたヨーロッパの人々を、恐怖の底につき落としていた時代である。なかでもアッティラの率いるフン族は、その狂暴さで、他のどの蛮族よりも怖れられていた。イタリアの北東に位置するヴェネト地方に住む人々は、彼らの司教座教会のあるアクィレイアが、この怖しいアッティラに襲われたと聞いて動転したのであった。

「どこへ逃げよう」

山地へ逃げこむなど、誰一人考えなかった。この辺りは海に流れこむいくつもの河川によってできた平野地帯で、そのずっと向うの山に逃げようとしても、山地にたどり着く前に追いつかれ、殺されてしまうのは目に見えていたからである。それなら、海岸沿いに南に下り、パドヴァか、もっと南のラヴェンナの街に逃げたらどうだろう。

しかし、そんなことを言った者は、すぐにも言葉を飲みこまねばならなかった。蛮族は、帝国の首都ローマを目指しているのである。その進路の前を前をと逃げるなど、女子供連れでなかったとしても不可能だ。人々から指示を仰がれた司祭とて、何とも言いようがなかった。司祭は、神に祈るというよりも、どうしようもない絶望を訴えでもするかのように、天に向って両手を広げた。

と、その時、天からの声が聞えた。

「塔に登れ。そして、そこから海の方角を見よ。おまえたちの見る地が、これからのおまえたちの住家になる」

人々は、教会の塔に登った。塔の上からは、ちょうど干潮時とて、ところどころが露出している沼沢地帯が見えた。葦が一面に繁っているだけの干潟《ひがた》には、樹の影さえもない。

だが、神の指示があったのだ。人々は、富める者も貧しき者も、男も女も子供も、司祭を先頭に、その地に移っていったのである。所有する財宝や家具一切を持って移動した他の土地の人々とちがっていたことは、これらヴェネツィア人は、まず何よりも先に、住居を造る木材を持っていかねばならなかったことであった。彼らの新天地には、魚のほかには、なにひとつなかったからである。だが、少なくとも、命だけは助かったのだった。

ここまでに述べてきたことは、実は、ヴェネツィアの初期の年代記に書かれている、いわば伝説である。実際には、神は何も言わなかったであろう。しかし、伝説は、歴史を科学と考える人には取り上げる価値もないことかもしれないが、当時の民衆の心情を想像し、それをなるべく身近に感じ取りたいと願う者にとっては、簡単には無視できないものなのである。

今日の美しい都ヴェネツィアだったら、住んでもよいと思う人は、日本人にもいるであろう。しかし、今から一千五百年の昔、葦の生えているだけだった沼地に移らざるをえなかった人々にとっては、とくに彼らが相当に高い文明を持っていただけに、いかにあの情況下であろうと、非常な決意を必要としたはずである。神様の御告げがあったから、とでも考えて自らを納得させないかぎり、実行できることではなかったにちがいない。人間が住むには、あまりにも不利な条件ばかりそろっていると言わねばならない場所でしか、彼らは身の安全を確保することができなかったのである。年代記によれば、西暦四五二年に起った出来事である。二十四年の後、西ローマ帝国は滅亡した。

それからほぼ一世紀の間、潟《ラグーナ》に移り住んだ人々には、比較的平穏な歳月が過ぎていった。帝国の滅亡後も蛮族の侵入は絶えなかったが、人間の生存にあまりにも不利な土地であるだけに、襲撃するにも不利であったからだ。それよりも、蛮族の侵入欲をそそるほどの富を、当時のヴェネツィア人は持っていなかったと言ったほうが当っている。フン族に代わって北イタリアを征服したゴート族も、沼沢地帯に住むひとにぎりの民には手を触れなかった。

その頃の人々の生活を知るうえに最も重要とされている史料は、ラヴェンナを首都にしていたゴート族の王に仕えていた、南イタリアのカラーブリア地方出身のカシオドーロが書いた文書ということになっている。これは、普通の記録ではなく、一種の指令文だが、統治者が被統治者に与えるものとは少しばかりちがう。西暦五三八年に書かれたものだ。こんなふうに、はじまる。

「すでに指令を与えてあるように、今年豊産であったイストリアの葡萄酒とオリーブ油を、ラヴェンナに向け輸送するようはからってほしい。おまえたちは、海岸近くに数多くの舟を持っているのだから、イストリアの住民が引き渡す品々を、とどこおりなく輸送するに必要な処置を講じられるはずだ。この仕事の利益は、彼らとおまえたちとで折半してよろしい。なぜなら、双方の協力があってこそ、この仕事はうまく行くのだから。

ではすぐにも、この短い船旅に出てもらいたい。おまえたちは、もっと長い船旅に慣れているのだから、このたびの船旅は、おまえたちの国の中を行くようなものであり、言ってみれば、家々の間を通って行くようなものであろう。どの海路を行けとは言わない。海が荒れれば川がある。おまえたちの考えによって、より安全で確実であると思ったやり方でやってよろしい。……

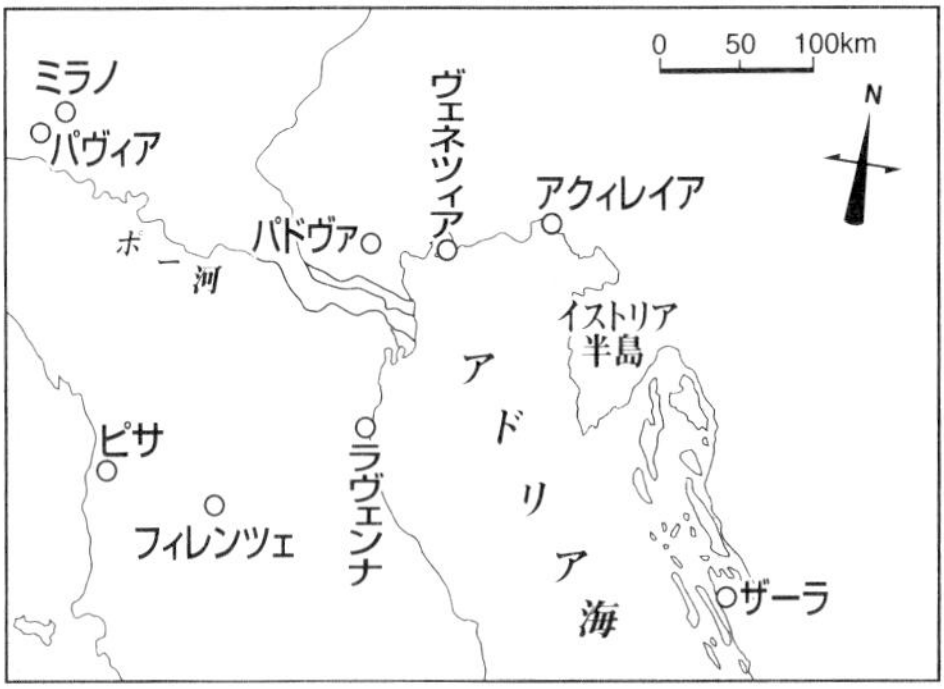

アドリア海北部

おまえたちの住家がどのように出来ているかを思いおこすことが、わたしにとってもどれほど楽しいことであろうか。

過去（注、ローマ帝国時代）にすでに数多くの有能で高貴な人々を出したことで知られるヴェネツィア地方は、南ではラヴェンナとポー河に接し、東ではイオニア海（注、アドリア海）沿岸の好ましい浜辺に接している。そこでは、潮の満干による海水が、時には地を閉じ、時には地を開く。

そこにあるおまえたちの住家は、水鳥に似て、そのたびに水面に漂うようであったり、地面に翼を休めているようであったりする。

これらは、自然の為《な》したことではなく、人間の努力の結果なのである。

そこに住む人々が豊富に持っている食糧と言えば、魚しかない。貧しき者も豊かな者も、平等にそれを分かち合う。これと、ほとんど同じような造りの家々は、他人を羨望《せんぼう》するという世の悪から、おまえたちを遠ざけている。

おまえたちの主な産業は塩田の開発で、他の土地の人々が畑で鋤《すき》をひき鎌を使う代りに、おまえたちは塩をこまかくするために石臼《いしうす》をまわす。黄金は、それを持たなくても生きていける。だが、食物をより美味にする塩は、誰もが欲しがるものだ。このために、おまえたちは塩を売って、他の必要とする品々を買い求めることができるのである。

では、舟を整備しておくように。そして、それを、家畜を家の土間につないでおくように、おまえたちの家の横につないでおいてほしい。イストリアには、こういうことに熟練しているロレンツォという者を派遣したから、彼の仕事が終り次第、おまえたちの仕事にかかってもらいたい。なにかの障害や経費の面で、輸送が遅れるようなことがないように。品々がなるべく早くラヴェンナに到着するよう、とりはからってもらいたい」

この平和な生活も、三十年とは続かなかった。北方蛮族の一部族である、ロンゴバルド族が攻めてきたのである。

ヴェネツィア人は、いかに身の安全を守るためとはいえ、潟《ラグーナ》に移住した初期にあたるこの時期は、なるべく陸地に近い沼沢地帯に住みたいと願ったのであろう。人間の心理からみても、充分に理解できる。ところが、ロンゴバルド族は、彼らの司教座教会のあったグラードやエラクレアを、徹底的に破壊してしまったのだ。沼地に難を逃れたと思って安心していた人々も、再び身の危険を感じるようになった。しかも、ロンゴバルド族は、パドヴァからイストリアまで、つまり、アドリア海沿岸とその近くの町々を、西から東までなめつくすように破壊したのである。潟《ラグーナ》には、前回の移住とは比べようもないくらい大量の人々が、難を逃れて移ってきた。

今度は、神の御告《おつ》げを必要としなかったであろう。住めないと思われてきた場所が、そうでないと証明した人々がすでにいたのだから。

しかし、いかに沼沢地帯でも、陸地に近いところは必ずしも安全でないことを、人々は知らねばならなかった。先住者もともに、彼らは、沼沢地帯の中央へ、つまり陸地とはなるべく遠く離れている場所に移住しはじめる。トルチェッロやブラーノの島には、北から逃げこんできた人々が、また、ヴェネツィアの沼沢地帯を外海から遮《しゃ》断《だん》しているような感じのペレストリーナやマラモッコには、西からの移住者が住みついたのであった。しかし、現代のヴェネツィアの街のあるリアルトの辺りが中心になるのは、それから二百五十年後の話になるのである。

その間、誕生したばかりのこの小さな国は、ラヴェンナに拠点を置いてイタリアを支配するようになったビザンチン帝国の、形式的な属国になって過ごす。当時のヴェネツィアが実質上の独立を守れたのは、物資の輸送をまかされてもよいだけの船と船乗りを所有していたからであった。

歳月が過ぎるにつれて、船は大きくなり数も増したことであろう。船乗りも、より熟練し、その数も多くなったことだろう。そして、塩と生活必需品の交換からはじまった彼らの通商も、自分たちには必ずしも必要でない品を売り買いするように変ったにちがいない。少しずつヴェネツィア人は、イタリア内部の河川交易に重要な位置を占めていくようになる。

それに、数度に及んだ本土からの移住で、人口も増大していた。司祭を中心に、教区（パロッキア）ごとにかたまって住んでいた人々も、それらをまとめた共同体が、そしてそれを率いる長が必要になっていたのであった。

六九七年、ヴェネツィア人は、はじめて、住民投票によって、元首（ドージェ）を選出する。これは、一七九七年にヴェネツィア共和国が滅亡するまで絶えることなく続いた、選挙による選出と、終身の役職であるこの制度の最初であった。難民によって成り立ったこの小さな国も、国家としての形をととのえはじめたのである。しかし、ヴェネツィアは、それからようやく一世紀が過ぎるという時に、生れたばかりの国家の存亡を賭《か》けた、大事に直面しなければならなくなった。

西暦八〇〇年、フランク族の王シャルルマーニュは、ローマで法王によって、神聖ローマ帝国皇帝として戴冠《たいかん》した。古代ローマ帝国の後継者と認ずる神聖ローマ帝国皇帝の領土には、当然イタリア全土もふくまれる。シャルルマーニュの息子ピピンは、ヴェネツィアにも、ビザンチン帝国配下を脱して自分の支配下に入れと要求してきた。しかも、脅しのつもりか、河川の交易に従事していたヴェネツィア商人をしめ出す策に出た。しかし、ヴェネツィアは、ピピンの命令を拒絶したのである。

なにもヴェネツィア人が、義理を重んじたからではない。その少し前に起った聖像崇拝問題の時も、ビザンチン帝国内のこの動きを、ヴェネツィア人は完全に無視して、あいかわらず聖像をおがんでいたくらいである。要は、後世有名になるヴェネツィア人の商人的な冷静な打算の結果なのであった。彼らには、通商の自由を犯そうとしない、形式上の支配で満足しているビザンチン帝国のほうが都合が良かっただけなのである。

しかし、ピピンは強硬だった。ラヴェンナのすぐ近くで、ヴェネツィア攻めの船造りがはじまった。ゴート族もロンゴバルド族も、またビザンチン帝国ですら侵略しようとしなかった沼沢地帯に、フランク人は攻めこむつもりなのである。ヴェネツィア人も、防戦に立ち向わねばならなかった。ビザンチンからの救援を待つとしても、コンスタンティノープルはあまりにも遠すぎる。かといって、ここ以上に安全な地はないと思って逃げてきたところなのだ。他にどこにも逃げて行ける地など残されていなかった。彼らは、それこそはじめて、逃げるのをやめて、自主防衛に立ちあがったのである。

迎え撃つ

誰一人、休んでいる者はいなかった。その頃のヴェネツィアの中心であったマラモッコでは、近くの島から駆けつけた人でごったがえしていた。ここを敵が狙《ねら》うのは、わかりきったことだったからである。人々は、防戦の準備に懸命だった。本土のキオッジアの町が火の手につつまれるのも、人々の意気をたかめるに役立っただけだった。しかし、キオッジアに火の手があがるのと、ペレストリーナのある浜辺にフランクの大型船が横づけにされるのと、ほとんど同時だった。フランクの兵士が続々と陸に降り立つのが、マラモッコの教会の塔の上から、手にとるように眺められる。

この時、一人の男が、無用な犠牲を出すよりは退却しようと提案した。

「どこへ」

人々は、いちように質問した。しかし、この男にはなにか目算があるようだった。周囲にいて彼に賛同した男たちも、自信があるように見えた。人々は、この男の提言に従うことにした。

二十四時間後、マラモッコには、ヴェネツィア人は一人も残っていなかった。フランクの兵は、その無人の町を破壊し、完全に灰にした。

その頃、ヴェネツィア人は、何をしていたのであろうか。船の通行可能な場所を示す、海中のあちこちに立てておいた杭《くい》を、すべて引き抜いていたのである。沼沢地帯なのだ。満潮時でも、よほど熟練した船乗りでないと、船はたちまち浅瀬にのりあげてしまう。干潮時ともなれば、小型の船ですら、航路を誤ったら危険なくらいだった。

一方、ヴェネツィア人の首都マラモッコを簡単に破壊して気を良くしていたフランク人は、沼沢地帯の奥に逃げこんだヴェネツィア人を追い討ちして勝利を完璧《かんぺき》にしようと、潟《ラグーナ》の中央に向って船隊を進める。他方、この一戦に国の存亡を賭ける思いのヴェネツィア人も、船隊を組んで打って出た。ところが、矢のとどく距離に近づいたと思った瞬間、ヴェネツィア船が後退したのである。フランクの船は、なおも追う。ヴェネツィア人は、右に左によけながら逃げまわる。それを幾度かくり返した頃、ヴェネツィア側の船は、いっせいに敵方の船との距離を開けはじめたのだった。

それを、フランクの船隊がさらに追おうとした時だった。

「船が動かない！」

誰かの悲鳴のような声が響いた。浅瀬に乗りあげていたのである。まったく、見ている間の出来事だった。潮が引きはじめたのだ。船底がべったりと泥土にくっついて離れない船が、干潟のあちこちに惨《みじ》めな姿をさらしていた。

唖然《あぜん》としているフランクの兵たちは、次の一瞬、数えきれないほどの小舟に乗ったヴェネツィア人が押し寄せてくるのを見た。干潮時を見越して、小舟戦法に切り換えたのである。浅い海の上を自由自在に走る小舟の上から、フランク側の動きのとれない大船に向って、火矢が次々と放たれた。たちまち、大船の帆が火につつまれる。炎が甲板の上をなめるように走る。消火どころではない。水がないのだ。

フランク兵は、完全に浮足だってしまった。燃える船の上から、下の泥土の上にとびおりる。しかし、沼地の泥だ。身体の自由を失って、よろけるばかりだった。

その敵をヴェネツィア人は、一人一人、まるで射撃演習の的のように矢で殺していった。フランク軍の中で生きのびられたのは、船隊の最後を進んでいたために、干潮時と知って急ぎ外海に引き返すことのできた数隻《せき》だけであったという。

干潟には、まだくすぶりつづける船の黒い残骸《ざんがい》と、泥土の中に倒れた何千というフランク兵の死体が残されただけだった。これも海が、一日では無理でも、何日かすれば、潮が引くたびに外海へ運び去ってくれるであろう。ヴェネツィア人にとっての最初の戦いは、こうして、彼らに大勝利をもたらして終ったのであった。

しかし、ほんとうの勝利は、その後一年して、ヴェネツィア人にもたらされる。西の皇帝、つまり神聖ローマ帝国皇帝シャルルマーニュと、東の皇帝であるビザンチン帝国の皇帝との間に調印された条約である。

そこでシャルルマーニュは、公式にヴェネツィア領有の権利を放棄し、ヴェネツィア人がビザンチン帝国に属することを認めたのであった。しかも、神聖ローマ帝国領内での、ヴェネツィア人の交易の自由さえ認めたのである。これは、すでに認められていた、ビザンチン帝国領内での交易の自由とともに、ヴェネツィア商人にとっては、そして、すでに交易にこそ国の将来があると見通していたヴェネツィアの国家にとっても、これほど大きな勝利はなかったにちがいない。

ポー河をさかのぼり、フランク王国の首都であったパヴィアの町で開かれる市《いち》に姿を見せる、ヴェネツィア商人の姿がにわかに増えていた。そこでは、ヴェネツィア商人は何でも売った。コンスタンティノープルの皇帝専用の工場で織られ、皇帝御下賜《かし》の品ということで有名だった紅《くれない》の高価な布地さえ、パヴィアの市《いち》へ行けば、ヴェネツィア商人から買えると言われるくらいであった。

国外での同胞の活躍が一層活発になるのと同じ頃、本国のヴェネツィア人は、はじめての本格的で恒久的な国づくりに着手していた。

国の中心を、マラモッコからリアルトに移すと決めたのである。マラモッコは、フランク軍の来襲が実証したように、国土防衛の面で、決定的な欠陥を持つことが明らかであったからだ。

まず第一に、アドリア海に直接面していること。これは、艦隊を組んで攻めてこられた場合、ひとたまりもないことを意味していた。

第二に、敵は、キオッジアを陥とせば、陸伝いに攻めることも可能だということである。間には満潮時にだけ出来る水路が通るだけだ。舟を並べて繋《つな》ぎその上に板を敷くという古代ローマ以来の急造の橋さえ作れば、相当の数の兵でも簡単に移動できるのである。

ヴェネツィア人は、フランクという強大な敵に対する勝利にさえ、眼を曇らせることはなかった。勝ちながら、彼らは逃げたのである。潟《ラグーナ》の中央へ。陸地からなるべく遠いところへ。

リアルトは、当時は漁師が住むだけの、潟《ラグーナ》の他の島に比べるとずっと辺鄙《へんぴ》な、満潮時でも頭をのぞかせている、いくつかの小さな島の集りにすぎなかった。そこに国の中心を移すとなれば、はじめからのやり直しになる。しかし、リアルトには、二つの利点があった。

第一は、潟《ラグーナ》の中央に位置するために、陸地から最も遠く離れていること。

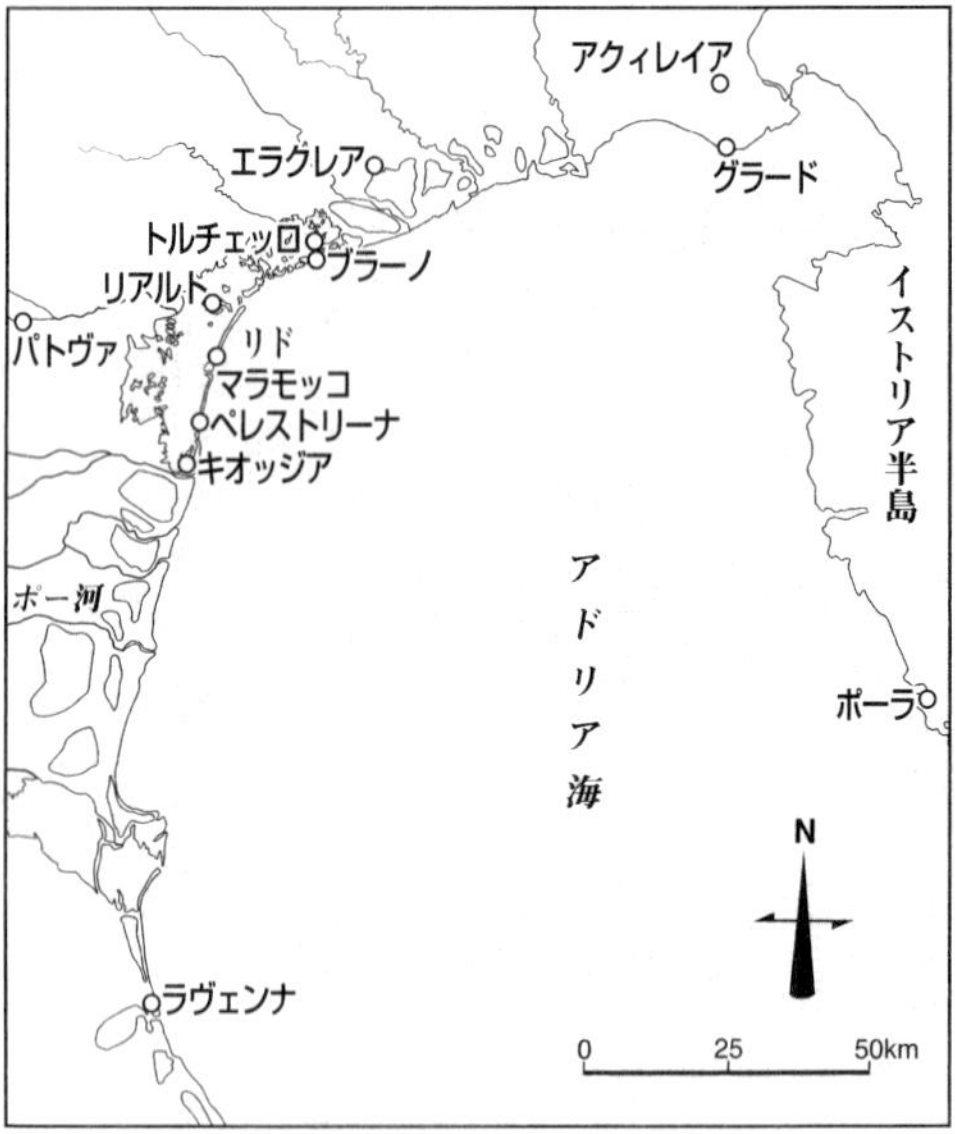

当時のアドリア海最北部

第二は、沼沢地帯にあるのだから、外海とは直接に接していないために安全な地であると同時に、リドまでの水路を港の入口のように整備すれば、場所によっては大型の船の横づけも可能なことであった。

それは、他のどの国の海軍よりも強力な海軍さえ持てば、敵の襲撃を防ぐことはできるし、同時に、彼らの足となった船舶による交易の将来も開けるということでもある。ただひたすら安全なだけの地を求めて逃げまわった頃の先祖と、九世紀初頭のヴェネツィア人はちがっていた。

第十代元首《ドージェ》アンジェロ・パルティチパツィオが先頭に立って、ヴェネツィア人は、最後の国ぐるみの移住をしたのである。潟《ラグーナ》には、他にリアルトより優れた条件を持つ場所は、もうどこにも残されていなかった。背水の陣を敷く思いで、とはこういうことだろう。こうして、ヴェネツィアは、われわれが現在見る場所に建設されることになった。二十世紀に入って鉄道が敷かれ、本土とそれで繋がれるまで、どこへ行くにも船で行くしかない、海の上に浮ぶ都として。

私は、ここで、ヴェネツィアの国づくりに、土木建築の面から照明をあててみたいと思う。ところが、こういうことは、歴史家の書いた書物ではごくあっさりとふれられているだけなのである。政治経済や社会構成や戦争の解説のほうが重要だということであろうが、私には、そうとばかりは思えない。古代ローマの街道がどのようにして敷設され、どのように修理修復されたかを調べていくと、古代ローマ人の性格が良く理解できるようになる。今ではイスタンブールと呼ばれているかつてのコンスタンティノープルの街が、トルコに征服されて以後どのように変ったかを知るのは、十五世紀になってヴェネツィアの宿敵となる、トルコ人の性格を知るうえに大変に役に立つ。

国づくりとは、その国の民族の性格の反映である。また、それは一時期に完了するものでないところから、それをどのように進めていくかによって、その国の民族の性格をも形づくっていくものでもある。

「ヴェネツィアに住む人々は、独得な人格に必然的に変らざるをえなかったであろう。ヴェネツィアが、他のどこの都とも比較しようのない都であるということに似て」

(ゲーテ)

ゲーテは、一七九七年にヴェネツィア共和国がナポレオンに攻められて崩壊する十年前、ヴェネツィアを訪れた。国づくりも人づくりもすでにずっと以前に終って、それが衰亡の極に達しようという頃である。しかし、ヴェネツィアは、肉体の眼でなく知性の眼で見るべきだと言った彼は、こんなことも書き残した。

「わたしを取りかこんでいるものすべては、高貴さに満ちている。これらは、ひとつにまとまった人間の努力によって生れた、偉大で尊敬を受けるに値する作品である。この見事な記念碑は、ある一人の君主のためのものではない。全民族の記念碑なのである」

たしかに、ヴェネツィアは、共和国の国民すべての努力の賜物《たまもの》である。ヴェネツィア共和国ほどアンティ・ヒーローに徹した国を、私は他に知らない。

しかし、庶民の端々に至るまで、自分たちの置かれた環境を直視し、それを改善するだけでなく活用するすべを知って行動したのかとなれば、ゲーテだってそうは思わないであろう。理解と行動は、そうそう簡単には結びつかないものである。庶民には、その中間に、きっかけというものが必要なのである。行動開始に際してきっかけを必要とする人々を軽蔑《けいべつ》する人は、その人のほうが間違っている。この点に盲目でないのが、有能な為政者であるはずだ。

六世紀に、アッティラから逃げて葦の生えているだけの沼地に住みついた時も、神の御告げというきっかけがあった。すさまじい努力を必要とするにちがいない恒久的な国づくりを、無から再びはじめようとしていた九世紀のヴェネツィア人には、いったいどんなきっかけがあったのであろうか。

聖《サン》マルコ

年代記によれば、八二八年の出来事という。トリブーノとルスティコという名の二人のヴェネツィア商人の船が、エジプトのアレクサンドリアの港に錨《いかり》を降ろした。もちろん、商売のためだった。しかし、当時は、イスラム教徒との交易は、ローマ法王によって禁止されていたから、この二人のヴェネツィア人は、御禁制破りでもあったわけである。

彼らの見たアレクサンドリアの街は、ただならぬ騒ぎで騒然としていた。街に住むキリスト教徒たちは、家の中にひそんでいるのか、街には、口々にわめき武器をふりまわすアラブ人の姿しか見えない。例によって、カリフが、時たま起す、反キリスト教の発作なのであった。これが起きると、黙認の形で存続を許されているキリスト教の寺院も、暴徒の襲撃を受けて痛めつけられる。

そんなことには慣れている二人のヴェネツィア商人は、それでも要心はしながら、品物を持って行くことになっていたある僧院の扉を押した。福音書の著者である聖《サン》マルコの遺骨が祭ってあるということで有名な僧院である。

恐る恐る扉を開け二人を中に入れてくれた僧は、すっかり怖じ気づいていた。他の僧たちもふるえている。イスラム教徒の乱暴の目標が今度は自分たちのところらしいと伝え聞いて、恐怖におののいていたのだった。

「聖《サン》マルコ様の御聖体に、もしものことがあったらどうしよう」

二人のヴェネツィア商人は、われわれがヴェネツィアに移しましょう、あそこなら

安全ですから、と申し出た。ところが、

「とんでもない」

と、僧たちは首を振る。あれがこの僧院にあることによって、エジプト中のキリスト教徒が巡礼に訪れるので、御賽銭《おさいせん》のあがりも良いのである。

そんなうちにも、外の騒ぎは大きくなるばかりだった。突然、扉が激しくたたかれた。とんで開けにいった僧を突き放すような勢いで、カリフの部下が入ってきた。僧院の回廊をささえている大理石の柱を、カリフが浴室に使いたいと言われるので、夕刻前に取りにくる、というのである。高圧的なアラブ人が去った後も、僧たちの怖じ気は消えるどころか、もっとひどくなった。カリフが奪うということは、庶民にも略奪の許可が出たということなのである。聖《サン》マルコの遺骨の安全は、ますます危うくなった。ヴェネツィア人は、今度は、売ってほしいと申し出た。しばらく迷った後、ついに僧たちは頭をたてに振った。

二人はすぐに外に出、まもなく、豚肉のかたまりのいっぱい詰まった、パンを入れるのに使う大きな籠《かご》を二つのせた手押車を押してもどってきた。

幾ら払われたのかは知らない。だが、商談は成立したのだ。聖《サン》マルコの遺骨は、籠の底に入れられ、そのうえに豚肉のかたまりが、すき間もないように詰められた。二人の商人は、手押車を押して、涙ながらに見送る僧たちに送られて門を出た。

ちょうどその時、円柱調達のための人夫を従えた、先ほどのカリフの部下が向うから来るのが見えた。その後には、すでに略奪品を想像して興奮している、庶民の一群もついてくる。二人のヴェネツィア人は、

「カンヴィル！　カンヴィル！」

と、大声で叫んだ。アラブ語で豚の意味である。アラブ人たちはいちように嫌な顔をし、車の前に道を開けさえした。イスラム教徒は、豚と聞くだけで頭痛がし、吐き気をもよおすのである。とくに、パン籠の一番上には豚の頭がのっていたから、ほんとうに吐く者まであらわれた。


アレクサンドリアの広い街を、二人のヴェネツィア商人は、交代で、カンヴィル、カンヴィルと叫びながら横断し、彼らの船まで安全にたどりついたのであった。

だが、これですべてが終ったのではない。港を出る船はみな、税関の役人の検査を受けてパスした後はじめて、出帆できる決まりになっていたからである。ヴェネツィア人の船にも役人が乗船してきた。二人のヴェネツィア人は、これが最後の難関であ

ることを知っていた。

もしも役人が聖遺物を発見したら、キリスト教徒がこれほども欲しがるものならば、法外な値をふきかけられ、それが不承知ならば没収するということになりかねないからである。こうして、またも豚肉と同居せざるをえなくなった聖者の遺骨は、パン籠に入れられて、倉庫になっている船底にしまわれることになった。案の定、イスラム教徒である役人は、二人のヴェネツィア人の、

「水夫たちの食糧です」

という説明も終りまで聞かず、鼻を押えて甲板にあがって行ってしまった。ルスティコもトリブーノも、ほっと胸をなでおろしたことだろう。


エジプトの港を無事に出帆した船も、ギリシアの沖に近づいた頃、猛烈な時化《しけ》に襲われた。船は、木の葉のように波にもてあそばれ、帆柱が今にも折れそうに音をたてた。だが、豚肉との同居から解放され、洗われ、香料さえもただよわせた聖《サン》マルコの遺骨は、この時はじめて、聖者らしく奇跡をもたらしたのである。

翌朝、昨夜の時化が嘘《うそ》のように思われる夏のギリシアの海を眼前にした二人のヴェネツィア商人は、金で買ったことなど忘れて、聖者の守護を感謝したにちがいない。

あとはヴェネツィアまで、これも船室に安置した聖遺物の御加護か、順風に帆をあげっぱなしの航海であった。

二人の商人の持って帰った聖人の遺骨は、年代記によればこんなふうに迎えられた。「街中が狂喜した。どの街角でも、人が寄るとさわると、聖人はヴェネツィアの国の繁栄と栄光を保証してくださる、と言い合うのだった」

聖遺物のヴェネツィア上陸は、元首以下、庶民の端々に至るまでのヴェネツィア中の人々の迎える中で、讃美歌の合唱に伴われて行われた。元首は、自らの財産の大きな部分を、聖遺物を祭る寺院、聖《サン》マルコ寺院の建設に寄附した。トリブーノとルスティコの二人は、共和国に大なる功績をもたらした人として、歴史に名が残ることになった。

ヴェネツィア人が、同時代の他の国の人々に比べて、特別に信仰が深かったわけではない。法王の発した禁制でも平然と破るくらいだから、あの二人のようなヴェネツィア商人は他にもいたことは、史料が実証してくれる。それくらいだから、他の国のキリスト教徒に比べて、狂信的信仰から最も遠いところにいたのがヴェネツィア人であったのである。

ヴェネツィア人も、他のキリスト教徒と同じく、それまでにも自分たちの守護聖人をすでに持っていた。聖テオドーロである。ただ、このギリシア出身の聖者は、聖人のヒエラルキーのうえでは、どうもあまり高い地位にある聖人とは言いかねた。言ってみれば、三流どころというわけである。

ところが、聖《サン》マルコはちがった。聖人のヒエラルキーの一番うえは、キリストの弟子であったということで、もちろん十二使徒である。それに続いて、聖パウロと、福音書を書いた聖ルカと聖マルコがくる。ここまでが、一流ということになっている。洗礼者聖ヨハネも、このグループに属する。ちなみに、フィレンツェの守護聖人は洗礼者聖ヨハネ、ローマは、当然ながら聖ペテロである。ヴェネツィアもこれで、一流の聖者を守護聖人に持ったことになったのだった。当時のヴェネツィア人の得意さも、想像できるというものだろう。早速、聖テオドーロには次席に退いてもらって、聖《サン》マルコが、ヴェネツィアの正統な守護聖人と定められた。

しかも、聖《サン》マルコを寓意《ぐうい》するのが、獅子《しし》ときている。福音書作者の四人の聖人には、それぞれ寓意の動物が決められていた。ヨハネ黙示録に出てくる四つの動物である。

ヴェネツィア共和国国旗

聖マテオには、誕生をあらわす人間、
聖ルカには、犠牲を示す牝牛、
聖マルコには、復活を意味する獅子、
聖ヨハネには、昇天を寓意する鷲《わし》。

これらの動物は、いずれも翼をつけている。

翼をつけた獅子、聖《サン》マルコの獅子、これならば誰でも景気づけられる。ヴェネツィア人は、福音書を書いた知識人の聖人には、彼に捧《ささ》げた寺院で安息してもらって、聖書に片脚をかけた翼のある獅子の像を、国旗にしたのであった。現在も残る、緋色《ひいろ》の地に金糸で刺繍《ししゅう》したそれは、ヴェネツィア人の行くところ、どこにでもひるがえるようになる。商船はもちろんのこと、この紋章は金貨にも使われる。聖《サン》マルコの遺骨を故国へ持ち帰った二人のヴェネツィア商人は、一流の守護聖人を与えただけでなく、国旗まで与えたことになる。聖者の遺骨が本物であるかどうかなど、また、それがカネで買われたものであることなど、問題にする者は一人もいなかった。

きっかけは、できたのである。困難な国づくりに庶民の端までが喜んで参加する、景気づけはなされたのであった。

海の上の都

私の夫の大伯父にあたる人は、イタリアの建設省から地方に派遣され、その地方の公共事業全般の計画施工の責任者を、長く務めた人であった。官名はイタリア語で、プロヴェディトーレ・デッラ・オペラ・プブリカ
日本の建設省か国土庁にも同じ役職があるにちがいないが、今は調べようもないのでそのままにしておく。要するに、公共の土木建設部門の長をしていたのである。彼がパドヴァやシチリアや、第二次大戦後はユーゴ・スラヴィア領になったイストリアに派遣されて仕事していた時は、この官名で呼ばれていた。ところが、ヴェネツィアに派遣されていた時だけ、官名がちがったのである。
マジストラート・アレ・アックワ

意訳すれば、水の行政官、とでもなろうか。仕事の内容は、まったく同じなのである。

この官名になるのは十六世紀に入ってからだが、九世紀のヴェネツィア人がリアルトに国づくりをはじめた時から、似たようなことを司《つかさど》る官職はすでに存在したのである。そして、これに就任する者は非常に重要な仕事の責任者とされたから、就任したばかりの行政官は、元首に導かれて民衆の前に立たされ、独得な儀式を済まさねばならなかった。元首は、集った国民に向って言う。

「この者の功績を賞《ほ》め讃《たた》えよ。それにふさわしい報酬を与えよ。しかし、この責任重い地位にふさわしくないとなったら、絞首刑に処せ！」

こんな物騒な就任式をしなくてもよくなったのは、ヴェネツィア共和国が滅亡して以後である。おかげで、それから二百年しか経ないというのに、現在のヴェネツィアはしばしば水びたしになる。

水は、天然の恵みである。ヴェネツィア人にとっても、それは味方であった。だが、同時に、怖しい敵でもあった。陸地に住む人々の想像も及ばないほどに。

現在のヴェネツィアの街を歩いていて、建国初期の情況を想像するのは大変にむずかしい。それで、私は、ある秋の一日、モーター・ボートを借りきって、潟《ラグーナ》と呼ばれる沼沢地帯をくまなくまわることにした。ゴンドラを使いたかったが、費用と時間がかかりすぎるので、現代的な舟にしたのである。それでも、満潮時と干潮時をあわせて七時間にもなった。なぜなら、いかに現代的な交通機関を使おうと、外海へ向うならともかく、沼沢地帯を行くのは、自然ゆっくりした速度にならざるをえないからである。

潟《ラグーナ》の中なら、どこでも好きなところを通ってよいというわけではない。三本の太い木材でできた杭が、潟《ラグーナ》のあちこちに立っていて、通行可能な航路を示している。どんな小舟でも、これに示された道しか通れない。この杭には、水深度も標示してあって、夕暮からは電灯がともる。もちろんこの設備は現代の産物で、昔は、夜間航行はほとんど不可能であったにちがいない。だが、杭で航路を示すのは、昔から行われていた。

この航路を進んでいくと、その両側に、干潮時には干潟があちこちに見られる。水鳥が翼を休めていたりする。それが満潮時ともなると、一面の海と化す。ところどころ、満潮時でも顔を出している場所がある。葦が繁り、樹木もばらばらにせよある。そんなところには、腐っていまにも倒れそうな小屋が残っていたりする。そういうところの海水は、ほとんど動かず、まるで水まで腐ってしまったかのようだ。干潮時には、べとべとの沼地に変るのだろう。

潟《ラグーナ》をまわってみてはじめて、私には、「水の行政官」にとって、そして全ヴェネツィア人にとっても至上命令であった、ラグーナ・ヴィーヴァ、「生きている潟《ラグーナ》」の重要性が理解できたような気がする。海水は、流れていなければならない。いったんそれが澱《よど》みはじめるや、腐敗物がそこに沈澱《ちんでん》し、伝染病発生の源になる。建国当時は、リアルトよりも経済の中心と言われるほど繁栄したトルチェッロの島が、まもなく衰退し、現代では、建国当時のヴェネツィアを見たいと思ったらトルチェッロへ行け、と言われるほどにさびれ果ててしまったのも、マラリアのためであった。

ラグーナ・モルタ――死んだ潟《ラグーナ》、は恐しい。

潟《ラグーナ》には、二つの川がそそぎこんでいる。海水よりもずっと腐りやすい川の水が、四六時中流れこんでいるということだ。そして、潟《ラグーナ》とアドリア海をへだてるのがリドで、それが左右から堤防のような感じで潟をいだいている。川は、腐りやすい水とともに土砂も流しつづける。リドは、それがあるためにヴェネツィアは外海から守られているわけだが、水の流れを沈滞させる危険も持っている。建国の初期も初期、八一一年にすでに、川と海の水の流れを調整する役職がもうけられた。「水の行政官」の行う仕事のうちの重要な部分が、これにあたる。

では、ヴェネツィア人は、潟《ラグーナ》を、常に生きた潟《ラグーナ》にしておくために、どのような解決策を見出したのであろうか。

運河

ここで、ヴェネツィアの運河について説明しなければならない。

ところで、この運河という言葉だが、日本の辞書を引いてみると、船舶を通すために陸地を掘ってつくった水路、とある。スエズ運河がその典型的な例ということだろう。

ところがヴェネツィアでは、言葉は同じ運河でも、その意味するところがだいぶちがってくる。ヴェネツィアの運河がどのようなものであるかを説明すれば、それだけでヴェネツィアの特異性をすべて説明できそうなくらいだ。

要するに、ヴェネツィアの運河は、船を通すためではなく、水を通すためにつくられたものなのである。もちろん、船も通る。しかし、それは結果であって、目的は、あくまでも水を通すことにあった。

「ラグーナ・ヴィーヴァ――生きている潟《ラグーナ》」は、この沼沢地帯に住みつづけようとするかぎり、ヴェネツィア人にとっては死活の問題であった。

もうひとつのヴェネツィアの運河の特色は、陸地を掘ってつくった水路ではないということである。それも、いくつかはある。しかし、ほとんどの運河は、島と島の間、干潟と干潟の間の水の流れている部分を、その最も深いところだけ残し、両岸を木の杭や石材で固めてつくったものなのである。曲がりくねっている運河の多いのは、このためである。水路のほうが先にあったのだ。

ここで、人は、二つの川の流れは両わきにそらせるようにして、その間にかたまってあるヴェネツィアを構成する数多くの島々を、全部べったりと埋め立てることはできなかったのか、と問うかもしれない。なにしろ、島というよりも干潟なのだから、住めるようにするには、杭や石材で固めた内側を埋め立てるしかなかったのである。そんなことなら、個々に一つ一つを埋め立てるより、全域埋め立ててしまったほうが合理的ではないか、ということであろう。

ところが、ヴェネツィアの建設された地は、潟の中であり、また、潮の満干という問題がある。しかも、規則的な潮の満干に加えて、風や、川に流れこむ雨による不規

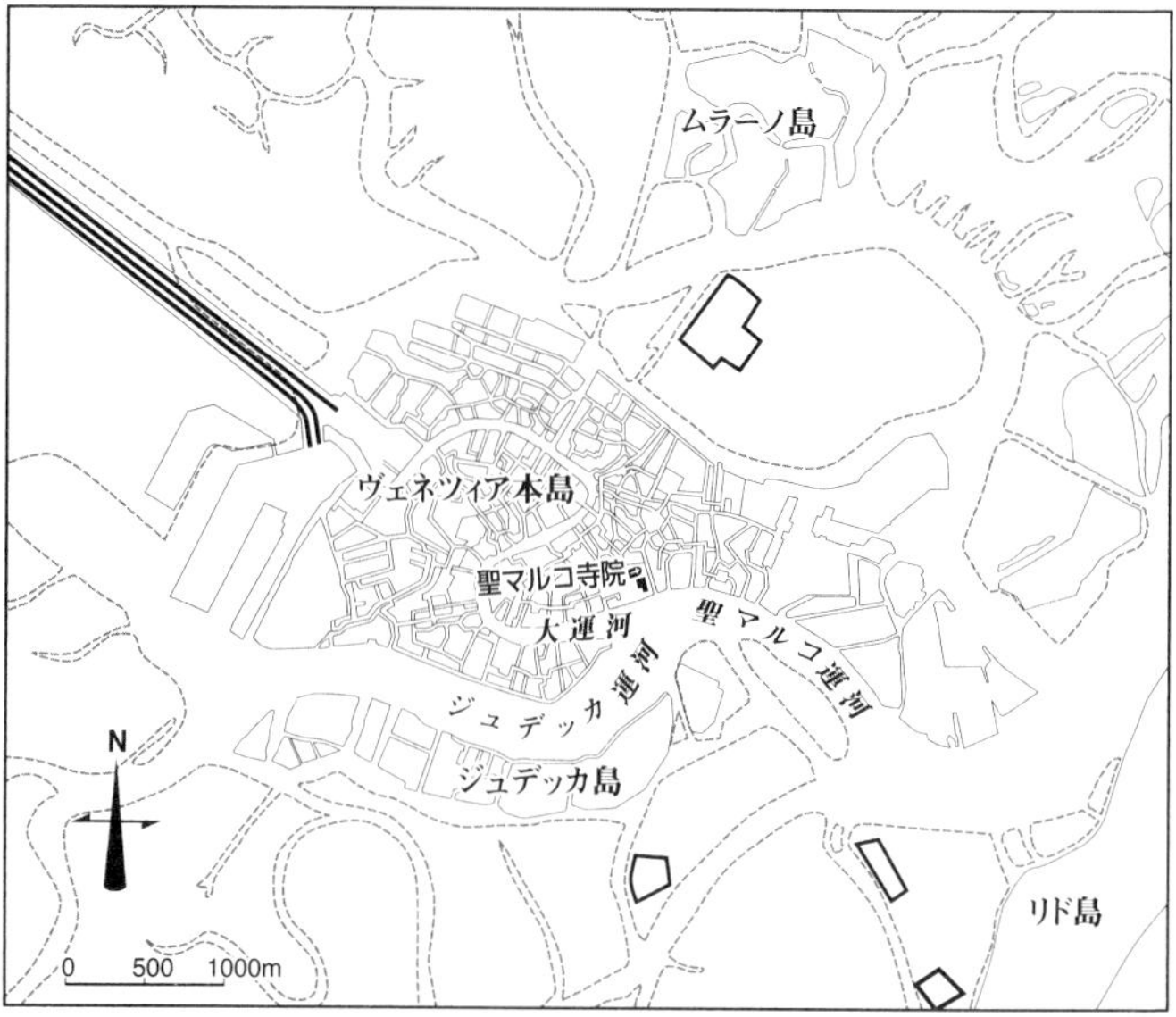

現在のヴェネツィアと周辺の潟(ラグーナ)

則なそれも考えに入れなくてはならない。もしも、一帯をべったりと埋め立ててしまえば、増水した川の水と満潮時の海水が、双方とも力を減少されることなくぶつかって、あたりはそのたびに水びたしになってしまう。堤防とて、無敵ではない。洪水を避けようとすれば、川の流れと潮の満干の関係を充分に計算して、適当と思う箇所に、櫛《くし》の歯のようにたくさんの水路をつくるしかないのである。水の力を相殺《そうさい》させるためであるのはもちろんだ。

水路は、すでにあったものが適当ならば、それを補強し、方向が悪ければ曲げ、ないところでも必要となれば新しくつくる。曲がっていようと関係はない。要は、水が常に流れていれば、目的は達せるのである。大運河《カナル・グランデ》と呼ばれる逆S型の運河も、川のひとつが海に流れこむ水路の延長なのであった。

こうして、数多くの島が寄木細工のように集り、その間を網の目のように運河が走り、これまた数多くの橋がそれらをつなぐ、ヴェネツィアの街ができたのである。

ただし、ヴェネツィアでは、日本語では運河と訳される言葉が二つある。ひとつは、カナーレであり、大運河も、だからカナル・グランデと言う。もうひとつは、リオと呼ばれる。ヴェネツィアの街中を網の目のように通っているのは、ほとんどが、このリオである。カナーレとリオのちがいは、天然の水路を固めたものと人工の水路とのちがいを示すのかと思って調べたが、どうもそれほどはっきりとはしていなくて、幅の広い運河をカナーレ、狭い運河をリオと呼ぶのであるらしい。

ヴェネツィアの運河は、このようにして、船を通すよりも水を通す目的でつくられたものであるから、ヴェネツィアと外海との間に堤防のような形に横たわるリドにも、何本もの運河がつくられたのは当然だ。「生きている潟《ラグーナ》」を維持するには、潟《ラグーナ》の中の静かな海を損わないでいて、外海との間に、水の交流が保たれなければならないのであった。

このような運河は、つくればそれで終りというものではない。常に整備を怠らないではすまない点で、陸地の道路よりもやっかいな存在であったにちがいない。職務を怠れば絞首刑に処す、と脅したのも、ヴェネツィア人にとれば死活の問題なのだから、無理もなかったと思えてくる。

地盤づくり

さて、水を通す路さえ決まれば、次には、地盤づくりが待っている。

もちろん、このように順序よく、ことがはこんだわけではないだろう。だが、水路の決定は中央が行ったのに対し、地盤づくりは、そこに住む住民の共同体にまかされていたことからして、水路の決定のほうが重要視されていたとしてもさしつかえないと思う。

とはいっても、地盤づくりもなかなかに大変な仕事ではあった。ヴェネツィア人は、どこでも好きな場所に勝手に家を建てるわけにはいかなかった。なぜなら、沼地にお

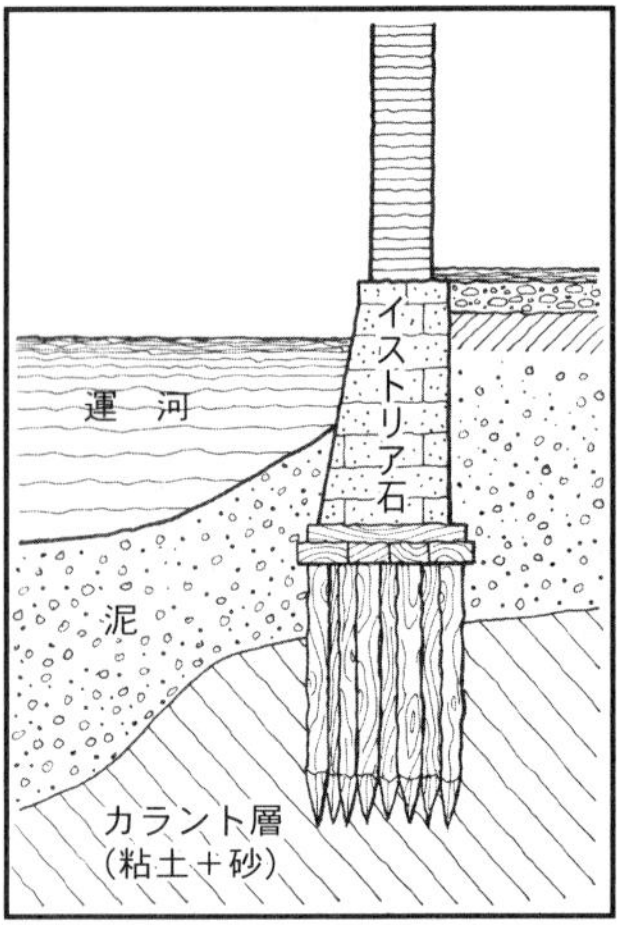

ヴェネツィア建築の基盤

ける地盤づくりは、個々の家族でかんたんにやれることではなかったからである。

まずはじめに、なるべく硬い材質の木材を選び、二十センチの角か丸で長さが二メートルから五メートルほどの杭を多量に製造する。そして、その先を釘《くぎ》のようにとがらせておく。こうしてつくられた多量の杭を、沼地の中にすき間もできないように打ちこんでいくのである。だからヴェネツィアの街の下には、現代でも、まるで巨木が地下一面に根を張りめぐらせているように、無数の杭が打ちこまれているのである。とくに、建物の壁や柱の下とか運河に沿う部分は、集中的に、また深目に杭を打ちこまれた。

杭の打ちこみが終ると、海水に強いとされたイストリア半島産の石材を、一面に何重にも積んでいく。石と石との間は、セメントで固められた。建物の土台も、フォンダメンタと呼ばれる河岸の土台も、このようにしてつくられたのである。フォンダメンタとは、使用目的から河岸と訳したが、この言葉自体は、基盤という意味なのである。

水面からそのまま建っているかに見えるヴェネツィアの運河沿いの家々も、このような地盤づくりをしてこそ可能なのであった。

もちろん、九世紀の建国当初から、このように堅固な地盤づくりがなされていたわけではない。石材の層は、ずっと薄かったであろう。潟《ラグーナ》をまわっていると、木の杭が櫛の目のように海中から立ち、その上に家が建てられているのを、今でも小さな島に見ることができる。完璧な地盤づくりは、火災の危険から木造をやめ、ほとんどの建物が石造になった、十五世紀になってからであろうと思われる。

広場

では、このように、陸地に住む人にとっては想像もつかないような努力によって形ができつつあったヴェネツィアに、人々はどのようにして移り住んだのであろうか。

アッティラから逃げ、次いでロンゴバルド族から逃げねばならなかった時と、同じやり方であった。個人や家族単位の無統制な移住ではなく、司祭を中心として、教区別にまとまって移住したのである。これはヴェネツィア人にかぎったことではなく、中世の居住区の構成は、そのほとんどが教会を中心にして成り立っていた。

パロッキアと呼ばれる教区は、精神生活の支柱である教会と、それを司る司祭を中心に、物質面での統率者である有力者とその家族、そして、この有力者と直接間接に仕事上のつながりを持つ人々とその家族で構成されている。十二世紀までは、ヴェネツィアをひとつの生物体とすれば、その生物体を構成する細胞が、この教区《パロッキア》であったと言えよう。教区の数は、多い時期で七十を越え、一教区の構成員は、平均して千五百人であった。

教区は、十二世紀までは、相当に強い自主性を保持していたらしい。元首《ドージェ》を頭とする共和国政府は、これらの教区からの代表を集めて構成されていた。運河をどこに通すかというようなことは、中央の政府が決めたにしても、地盤づくりなどは、教区の事業であった。街づくりも、各教区にまかされていた。

教区ごとの居住区づくりは、まず、教会を建てる場所を決めることからはじまる。教会の前には、カンポと呼ばれる広場がつくられる。広場《カンポ》は、その居住区に住む人々全員が、あらゆる機会に集るところだ。ミサの後に集るだけでなく、市《いち》が開かれるのも広場《カンポ》であり、祭りが行われるのも広場《カンポ》である。

イタリア語では普通、広場を意味する言葉はピアッツァだが、ヴェネツィアにかぎり、ピアッツァと呼ばれる広場は、聖《サン》マルコ寺院の前の広大な聖《サン》マルコ広場しかない。他の広場はみな、ピアッツァでなくカンポと呼ばれる。それは、おそらく初期の頃、教会の前の広場には樹木が植えられていたり、家畜の放し飼いなどもされていたからであろう。カンポとは、語源的に畑とか田園とかを意味する。だが、このカンポも、十五世紀に入ると、そのほとんどが敷石による、舗装がなされた。

広場《カンポ》に面する一角は、このようなわけで教会が占める。それ以外の広場《カンポ》に面する場所は、有力者の家や小さな造船所が埋めていく。しかし、教会の占める面よりも広い一面は、ヴェネツィアならではのこと、つまり運河のために残しておかねばならなかった。現在では埋め立てされて消えてしまったところもあるが、「生きている潟《ラグーナ》」を死活問題と考えていた共和国時代は、広場《カンポ》の一面には、運河が通っていたのである。また、人であれ物資であれ、すべての輸送が水上交通によらねばならないヴェネツィアでは、運河が、人々の精神生活の中心である教会と同じくらいに優遇されたとしても当然であった。広場《カンポ》から運河に降りるには階段がつくられていて、簡単な船着場になっていた。

広場《カンポ》には、少なくとも二本の、カッレと呼ばれる小路が通っている。この小路によって、教区《パロッキア》の中心の広場と、広場の背後に広がる一般庶民の居住区とが通じていたのである。しかし、広場に面しないこのような区域にも、カンピエッロとかコルテとか呼ばれる小さな広場が随所にあり、子供や女たちの憩いの場所であると同時に、かぎられた土地を最大限に利用するために四、五階は普通という、周辺の高い建物に、日光と風を恵む役目も果していた。このような小広場は、普通、運河には面していない。

と言っても、そこで行きどまりではない。複雑な網の目のように通っている運河でも、曲がり曲がりしていくと、必ず大運河か海のどちらかへ抜け出られるように、ヴェネツィアでは、足で行くにも抜け道が必ずあって、袋小路というものは存在しないのである。

小広場《カンピエッロ》でも空地《コルテ》でも、かならず反対の方角へ向けて二本の小路《カッレ》が通じている。だが、広場の空間が狭ければ、そこへ通じる道の幅も狭くなるのは自然の勢いである。だから、このような場所では、ゲーテも書いたように、両肘《ひじ》を突っぱれば、突っぱった肘が左右の建物の壁についてしまうほど狭い小路であったり、それどころか、建物の下をくり抜いた小路、ソットポルティコと呼ばれる小路であったりする。他所者《よそもの》には、はじめのうちは、見つけることさえなかなかにむずかしい。

このような小さな無人の広場に立って、まわりの高い家々を眺めているような時、ふと、思いもかけない方角から人があらわれ、小広場を横切って別の小路に消えていくのに出会うことが多い。こんな空想をするのは、そのような時である。

いとことはいえフィレンツェの公爵《こうしゃく》を殺してしまった若者は、ヴェネツィアへ逃れて身を隠していた。だが、当然のことながらメディチ家は、刺客をヴェネツィアへさし向ける。ある夜、若者は、久しぶりの外出から館へ帰ろうと道を急いでいた。ゴンドラを乗り捨てた広場《カンポ》から小路に入った時から、背後に人の気配を感じ、不安になっていたのだ。若者の少し前を、カンテラで足許《あしもと》を照らしながら従者が行く。背後の気配は、不気味に迫る。若者は、従者を追い越して走りはじめていた。小広場の一角にある隠れ家には、もう一息で着けるのだ。

小広場に入った時だった。すぐ後ろを走っていた従者が、うめき声をたてた。一瞬、ふり返った若者の眼に、地面に落ちて燃えあがったカンテラの明りを受けて、血に染まって倒れた従者が見えた。

若者は、隠れ家の扉をたたこうとした。しかし、その若者を、たちまち、黒い仮面をつけ、黒いマントで身を包んだ三人の男がかこんだ。若者は、逃げた。どこをどう逃げたか、彼自身にもわからないほど逃げた。しかし、黒いマントの男たちは、なおも追ってくる。若者は、ついに小さな空地に逃げこんだ。中央にある井戸のふちをまわりながら逃げる若者には、もうほとんど力がつきていた。追う者も追われる者も、そこが行きどまりであると思いこんだのだった。その若者に、三人の刺客が無言で襲いかかっていく。声もたてず、若者は崩れるように倒れていた。

周囲の家々は、窓を固く閉めているのかひとすじの灯火ももれない。誰も、殺人の現場を見た者はいないにちがいなかった。殺人者たちは、安心したのか、その時はじめて黒い仮面を取って、顔を薄く照らす月光にさらした。

と、その時である。三人の殺人者は、なにかの気配を感じて、空地の一角に眼をやった。そこには、びっくりして恐怖のあまり眼を見張ったままの、一人の船乗りが立ちすくんでいた。船乗りは、一杯きげんで帰宅の途中、小路を抜けたところで惨劇の現場に出会わしたのであった。

殺人者たちは、目撃者をこのままに放っておけないことはすぐにもわかった。殺された若者は、政治亡命者として、ヴェネツィア共和国から認められてヴェネツィアに身を隠していたのである。それをフィレンツェの者が殺したとわかったら、共和国政府が黙っているはずはない。目撃者は、消されねばならなかった。

　三人の殺人者は、船乗りを追った。しかし、船乗りは他所者とはちがう。その夜は、殺人者たちから逃げ切ることができた。だが、顔を見られている。その夜から、船乗りアンドレアにとっては、怖しい日々がはじまったのであった。……

　この事件は、歴史上の事実である。だが、殺人の模様とか目撃者のことは、私の想像である。どうも柄にもなく土木建築のことばかり調べていると、作家的想像ごころがフラストレーションにおちいるらしく、たまにはこんな話なども想像し、こういう場面の設定も可能だ、などと思ってみたくなるものらしい。

　話を、もとにもどすことにする。

井戸

教区《パロッキア》に住む人々にとっての、もうひとつの共同事業は、ポッツォと呼ばれる井戸であったろう。井戸は、広場《カンポ》にも小広場《カンピエッロ》にも空地《コルテ》にも、その中央部に必ずひとつは設けられていた。

ただし、ポッツォを井戸と訳すのには、少々のためらいを感じないでもない。日本語の辞書では、地面を掘って地下水を汲《く》みあげるようにしたもの、と解説されているが、この解説は、日本だけでなくイタリアの他の地方でもあてはまるのである。だが、ヴェネツィアの井戸についてならば、適当でない。なぜなら、ヴェネツィアの井戸は、地下水を汲みあげるのでなく、雨水を貯《た》め、それを汲みあげるものだからである。貯水槽と訳したほうが妥当かもしれない。だが、ヴェネツィアでは、海外の植民地の城《じよう》塞《さい》などで用いた地下水を汲みあげる井戸も、自国内で雨水を貯める貯水槽も、同じようにポッツォと呼んでいたので、私も井戸という言葉を使うことにする。

ではヴェネツィアには地下水がなかったのかというと、良質の水ではないにしても、なかったわけではなかった。ただ、地下水の汲みあげは、当然、地盤の沈下につながってくる。地盤を固めるのにあれほどの苦労をしなければならなかったヴェネツィア人にとっては、いかに飲料水の確保という第一義的なことであれ、地盤沈下につながるようなことは、絶対に許されることではなかった。そこで、彼らは、塩田開発から得た技術を応用して、ヴェネツィア独特の井戸《ポッツォ》を考えだしたのである。

まず、広場《カンポ》の中央を許されるかぎりの大きさで、正方形に深く掘りさげる。プールをつくるのだ。そして、次に、そのプールの内側を、支那鍋《なべ》の底のようになるように粘土で固める。下からしみこむ海水の塩分と、貯まる雨水を接触させないための防壁の役をするのが、この粘土層である。これができると、粘土のプールの内部を、多量の砂で埋める。

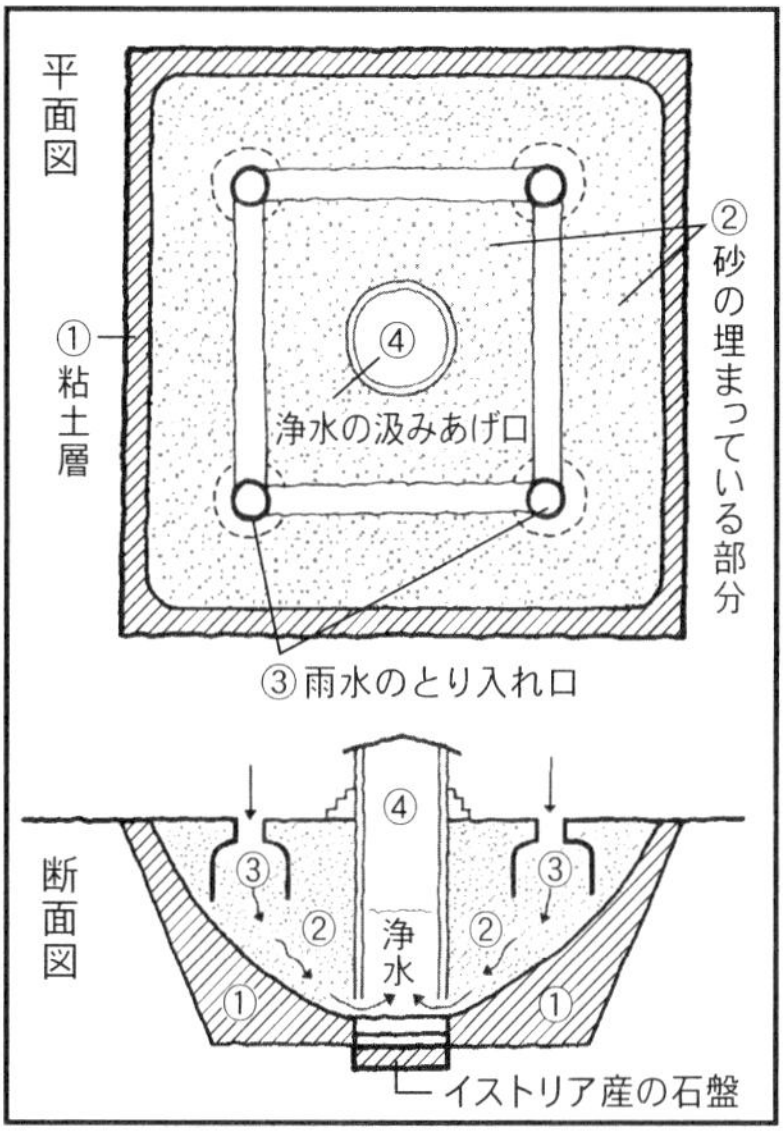

ヴェネツィアの井戸

次いで四ヵ所に、天井を向いた穴の開いた底のない箱形のものを、砂の中に埋めこむ。地表に作った取入れ口から流れこんだ雨水は、砂の層を通ることによって濾過《ろか》され、支那鍋のようにできた粘土層を伝わって中央部に貯まる。中央部には、海水に強いイストリア産の石盤が沈ませてある。浄水となった雨水は、その上に貯まり、上から掘られた井戸の内部を満たしていき、汲みあげられるのを待つ、という仕掛である。

現在でもよく注意して見ると、広場の中央にある井戸を中心に、四方にひとつずつ開けられた雨水の取入れ口に向って、広場の敷石が微妙に傾斜しているのが見分けられるであろう。イタリアだけでなくヨーロッパの他の地方に比べて、ヴェネツィアの広場の舗装がより早期になされたのには、このような切実な理由があったのである。

ヴェネツィアは、乾燥した気候の支配的なイタリアでも、比較的湿気の多い地方に属する。飲料水にかぎってならば、この設備でまずは充分であったろう。しかし、他の使用に要する水も必要だ。洗濯とか身体を洗うためとか、台所に使う水だけでも馬鹿にはできない。だが、これらに要する水は、建物ごとに、外部からは見えないかけいを通して、屋根に降る雨水を家の中に引いて使っていたのである。この水を貯める桶《おけ》は、台所のそばに置かれるのが普通であった。

下水のほうは、運河に口を開いた下水道からのたれっぱなしであった。共和国が存在していた一千年余りもの間、何回となく、満潮時にも水面下に沈まない高さに下水口を設置せよと命じた告示がだされている。満潮時に、下水道の中のものが逆流して家の中にあふれでたりするのは、あまり楽しい現象ではなかったからだろう。

現代でも運河にたらしっぱなしにされているという下水のことを考えると、美しいヴェネツィアの魅力も失せる感じだが、そこはそれ、朝夕の潮の流れという、天然の水洗方式がある。「生きている潟《ラグーナ》」を至上命令とし、海水の流れがスムーズにいくことばかり考えて、国づくりをしてきたヴェネツィア人だ。汚水も潮の引くのにつれて外海へ運びだされたから、何日もつづけて悪臭に悩まされることはなかった。公衆衛生の分野でも、ヴェネツィアは、同時代のヨーロッパのどの地方に比べても、相当高い水準にあったのである。

ヴェネツィアにおいて、教区《パロッキア》ごとに集って住む傾向は、実際上、貧富の差による居住区の分離を不可能にした。金持が自分の家の内部に中庭をつくり、その中央に自家用の井戸をつくるようになる十二世紀までは、最も大切な飲料水さえ、共同で使っていたのである。

また、沼沢地帯を、力を合わせて家を建てられるような土地にすることからはじまったヴェネツィアでは、土地私有の観念は、ごく初期の頃に失われていたと思われる。

初期の頃のヴェネツィアの有産階級は、他の地方と同じく不動産所有によるものであった。しかし、その不動産とは、ヴェネツィアにはなく、本土に所有する土地のことであった。十二世紀を境にして行われる大胆な第二期の国づくりも、土地私有の観念のなかったところで行われたことが、成功の一因であったかもしれない。

しかし、教区《パロッキア》制は、運河や地盤づくりに見られるように、国家による〝行政指導〟が非常に強い国でありながら、街のつくりが画一性におちいらないですむ原因ともなったのである。

迷路のような町並は、碁盤の目のように整然とした都市計画を良しとする人の、好みには合わないかもしれない。だが、飽きるということはない。人間の頭の中で、都市とはこうあるべしと考えだされた都市計画にはない人間的な良さが、このような街には見られるからである。

国づくり

塩と魚しかなく、土台固めの木材さえ輸入しなければならなかったヴェネツィア人には、自給自足の概念は、はじめからなかったにちがいない。しかし、この自給自足の概念の完全な欠如こそ、ヴェネツィアが海洋国家として大を為すことになる最大の要因であった。

国家は、陸地型の国家と海洋型の国家に大別されると、誰もが言う。私には、この二つのタイプのちがいは、自給自足の概念のあるなしによって決めてもかまわないのではないかとさえ思われる。

自給自足の概念のあるところには、交換の思想は、必要に迫られないところから生れてこないし、定着もしない。このタイプの国家が侵略型になるのは、当然の帰結である。他国を侵略するということは、ただ単に、自給自足圏の幅を広げるにすぎないからである。

それと同じ理由で、自給自足の概念のない国家は、それを持続する限り、侵略型にはなり得ないはずである。彼らには、必要なものは交換で手に入れるということは自明の理となっているから、領土を拡張してみたところで、余計なエネルギーを費すのに役立つだけであろう。

塩と魚しか持たなかったヴェネツィア人には、この自給自足の概念の欠如は、ごく自然な成行きであったにちがいない。しかし、もしも教区制《パロッキア》が、ずっと後まで、ヴェネツィアの国家における決定的な要素として残っていたら、彼らの自給自足の概念の欠如も、あれほど徹底したものにはならなかったのではないかと思われる。なぜなら、教区《パロッキア》制とは、ある程度の自給自足ならば、それが可能な共同体であったからである。

教区《パロッキア》ごとに、教会もあった。商売も、有力者の家で行われた。お祭りも行われた。日常の生活に必要なものを売る店はそろっている。大工から左官から、教師（司祭にしても）から助産婦まで、一応はそろっている。舟さえも、小さいながらも造船所があって、他に発注することもない。要するに、教区《パロッキア》では、たいがいのことが内部でまにあうのだった。昔の日本の、というより昔のヨーロッパの、「村」であったと言ってよいだろう。

それが十二世紀を境に一変するのである。住民共同体的であった教区《パロッキア》の役割はぐっと後退し、代って、行政組織としてのセスティエレと呼ばれる区制が敷かれるのである。

もちろん、教区《パロッキア》が廃止されたのではない。これがヴェネツィアの行政の特色となるのだが、彼らは、中央集権化する過程で、絶対に以前の形態を捨てない。教区《パロッキア》では、人々は、以前と同じように彼らの教会を持ち、それぞれの祭りを行い、教区《パロッキア》ごとの市《いち》を開きつづける。しかし、以前のように、その内部でたいがいのことがまにあ

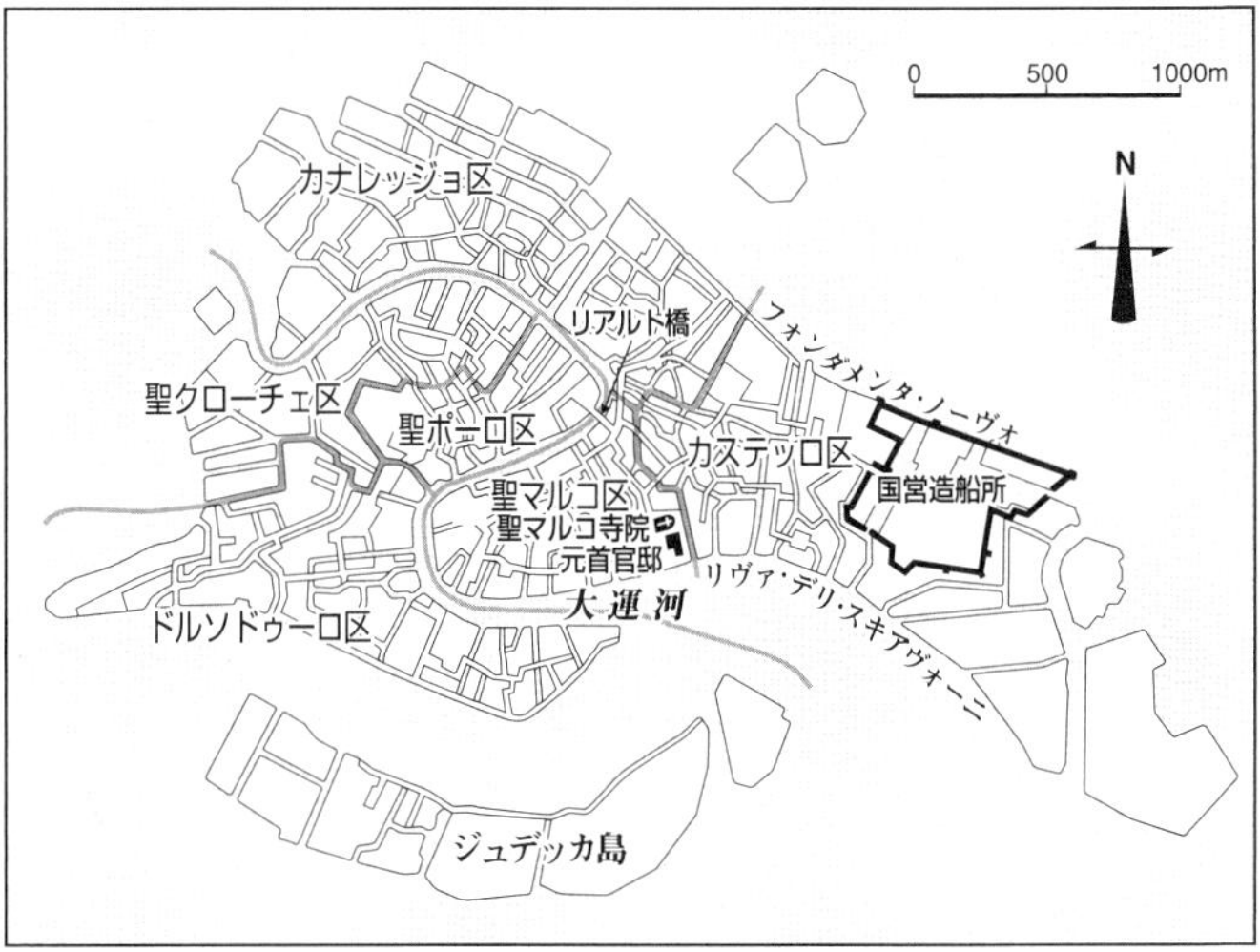

ヴェネツィアの「セスティエレ」(六区制)

う、という状態ではなくなっただけである。

これは、ヴェネツィアの都市化と言ってもよいだろう。進歩に要するすべてのエネルギーは都市からしか生れない、と私は信じている。自給自足の概念を捨てきったところにしか生れない、と言い換えてもよい。

大運河《カナル・グランデ》が逆S型に流れるのを境にして、ヴェネツィアは二つに分けられる。セスティエレと呼ばれる区制は、大運河によって二分された地域を、それぞれまた三区に分けて、合計六つの区に分類したところから、六区制《セスティエレ》という名で呼ばれるようになったのである。

大運河の北側の三区は、西から、カナレッジョ区。

リアルト橋から聖《サン》マルコ寺院と元首官邸《パラッツォ・ドゥカーレ》の背後を流れる運河を境に大運河までの区域が、政治と経済の中心になる、聖《サン》マルコ区。

それから東へのびる、造船所や港の集っている地域が、オリーヴォロ（またはカステッロ）区となる。

大運河の南側の三区は、経済活動の中心であるリアルト橋に近い一画が、聖《サン》ポーロ区。

その北西に、聖《サンタ》クローチェ区。

ジュデッカ島をふくむ南の一帯が、ドルソドゥーロ区となる。

一一七一年に制定されたこの六区制は、現在でもそのまま使われている。七十を越えた教区《パロッキア》は、その名と活動の大部分を残しながら、各区《セスティエレ》に編入された。六区制の特色は、教区制が教会を中心として構成されていたのに反し、純粋に行政上の必要から生れたものであったことだろう。

同じ頃、聖《サン》マルコ寺院の前の広場、聖《サン》マルコ広場が現在見るような形になり、元首官邸《パラッツォ・ドゥカーレ》も、美しいバラ色の今の姿にできあがる。政治の中心が、はっきりと確立したのであった。

交易のための港が、リアルトと、リヴァ・デリ・スキアヴォーニの河岸に整備されたのは、これよりも少し前であった。海洋国家として立とうとするヴェネツィアにとっての柱、国営の造船所《アルセナーレ》も完成する。教区《パロッキア》が支配的であった時代とはちがった居住形態が生れるのも、これらの変化と時を同じくして起った。

現在では観光都市でしかなくなったヴェネツィアだが、そのヴェネツィアで、他のどこの有名な観光都市にもない名所となれば、それはやはり、大運河であろう。ヴェネツィアを征服したナポレオンが、国宝指定にしたのも（これはちゃんと法律が残っている）、この地を一度でも訪れ、大運河を舟で通ったことのある人ならば賛同するにちがいない。

しかし、ほとんどの人は、大運河の両岸に建ち並ぶ豪華な宮殿を眺めて、ヴェネツィアの目抜き通りである大運河ぞいに金持たちが館を建て、各々贅《ぜい》を尽くしたのであろうと考えるにちがいない。

たしかに、彼らは、自分たちの館を美しく飾ろうとした。大運河を往復するだけで、ヴェネツィア建築の歴史を一望のもとにすることができるほどだ。

しかし、これとても、はじめから意図されたことではなかった。彼らが大運河ぞいに館を建てたのは、自分たちの富を誇示しようとしたからではない。彼らの生存と繁栄に、必要であったからである。ヴェネツィアでは、ほとんどすべてのことがらが、必要性に結びつけて考えると理解が容易になる。

十二世紀にはじまるこの時期は、ヴェネツィアの国づくりにとって、その第二期と考えてよいだろう。それは、ヴェネツィアの商業が、質量ともに以前とは段ちがいの変化をし、国家の経済の主力となった時期と一致する。

ヴェネツィアの有産階級も、もともとは本土に所有する不動産からあがる収入に依存していた。それが、資産の一部を交易に投資しはじめたのは、ずいぶんと初期の頃からである。だが、それも、しばらくの間はごく少ない額でしかなかった。しかし、河川交易が盛んになるにつれて、交易に投資する額の全資産に占める割合が、だんだんと大きくなってくる。そして、その割合が逆転したのが、ちょうど十二世紀の頃であった。ヴェネツィアは、海洋国家として誕生したのである。

船も、より大型のものが必要になってきたであろう。それも、船がそのまま商いの場所に横づけできたら、より便利であったにちがいない。それまでに大運河ぞいにあった小さな造船所や石工の家は、移転を命ぜられる。代って、地主から交易商人に変った人々が、教区《パロッキア》の広場《カンポ》に面した家から、大運河ぞいに移ってくる。大運河には、二百トン級の船も入れたのであった。

聖《サン》マルコ広場の鐘楼でさえ、ぐんと高くなったのは、灯台の役目もしなければならないからであった。外海からリドの港を通って潟《ラグーナ》に入ってくる船の航行の安全のために、鐘楼には夜ともなれば火がたかれた。リアルトにも、開閉式の木の橋がかけられる。この橋を中心とした大運河の両岸一帯が、経済の中心地として確立するのもこの頃である。それまでにこの一帯にあった魚や野菜を商う市場は、他の地に移転させられた。魚売りや女たちによる喧騒《けんそう》に代って、同じ賑《にぎ》わいでも、ギリシア語、アラビア語、ドイツ語がとび交う国際市場になったのである（現在では、もとにもどって魚や野菜の市《いち》になっている）。

教会を中心に教区《パロッキア》ごとに固まって住んでいた時代と比べて、住居の分布状態も変って来ざるをえない。

交易に従事する者は、陸地に向って開いた入口を持つ家だけでは充分ではなくなった。物資の効率的な輸送のためには、運河に向って開いた入口も必要になってくる。家の構造が、カーサ・フォンダコ（住居兼倉庫）と呼ばれたことが示すように、住むところと仕事場とが一緒になった形式をとらざるをえなかったのも、利用できる土地にかぎりがあったからである。

まず、運河に向って開いた正面の入口を入ると、つつぬけの中庭《コルテ》にでる。その周囲に並ぶ部屋が、倉庫であったり商談の場であったりする。中庭からは、裏の小路《カツレ》に抜けられる、もうひとつの入口が通じている。中庭は、それほど広くはない。中央に、例の井戸がつくられる。

中庭《コルテ》からは直接に、階段によって一階にあがれるようになっている。一階は、柱廊がめぐっており、その柱廊の奥に、客用の広間とか主人家族のための居室や食堂などが、ぐるりとめぐっている。その上の階は、家族の寝室だ。そして最上階は、使用人の部屋にあてられるのが普通であった。これが、大商人の住居の一般的な構造であった。

この例を、現在、好きな時に見学時間も気にしないで見られる場所は、ヴェネツィア最高のホテル、ダニエリである。このホテルのロビーに坐って、今ではガラス張りの天井がつけられた昔の中庭を眺めていると、ヴェネツィアには、ほんとうの意味での深窓の令嬢は存在しようがなかったのではないか、と思えてくる。一階の柱廊から、下の中庭(コルテ)で働く男たちを、好きな時に好きなように眺められたのだから。また、中庭(コルテ)から、階上のゴシック式のレースのような柱廊の飾りの合間にかいま見えた、美しい婦人に恋するのも、それほど現実離れしたことではなかったであろうと思えてくる。

このような館をかまえる大商人が、大運河ぞいに家並を連らねるのが第一層とすれば、その背後に、運河に面していなくても仕事にさしつかえのない職人や、日用品を商う商人の住む第二層がつづく。

その次の第三層は、造船工やこれに似た仕事をする職人の住む一帯となる。これは、私設の造船所が多く集っていた、大運河からは反対側にあたる河岸、フォンダメンタ・ノーヴォ（新河岸）と呼ばれる地域に近いからであった。

とはいえ、ヴェネツィアでは、共和国の存続した最後まで、金持と庶民が、住んでいる場所によって厳然と区別されるという、他の地方では見られる現象は起らなかった。それは、彼らのほとんどが、その住む家の地階を仕事場にせざるをえなかったために、それぞれの仕事に適した場所に住むのを当然としたからであろう。

大運河の沿岸とて、そこに建てられる家の数はかぎられている。かぎられた土地であるからなおのこと、どんな大金持の館よりも、国営の小麦倉庫が優先される。だから商人にしてみれば荷船が入ってこられる運河《リオ》に接していれば、それでよいということにもなったのであろう。運河《リオ》をゴンドラで入っていくと、突然、眼前に豪勢な館があらわれるのも、この理由によってである。

橋

しかし、教区《パロッキア》制から六区《セスティエレ》制への移行には、ヴェネツィアならではの副産物をもたらした。橋である。

教区《パロッキア》ごとに独立していた時代は、教区内に走る運河にはごく簡単な橋がかかっているだけで、教区から他の教区へ行くのには、舟で行くより方法がなかったのだった。それが、各教区が六つの区に編入されてからは、つまり、ヴェネツィアが都市国家としての性格をはっきりさせるようになってからは、当然のことながら、舟だけで全域をつなぐわけにはいかなくなる。橋が、それも無数の橋がぜひとも必要になってきたのだった。

はじめのうちは、木製であった。それでも、たいらに渡した橋ではなく、舟が下を通れるように、屋根形の勾配を持った橋であった。だが、これも、十三世紀末には、そのほとんどが石造りの太鼓橋になる。大運河にかかるリアルト橋だけが、その後も中央部が開閉する木製の橋で残り、石造になるのは十六世紀に入ってからだが、あの橋だけは狭い運河にかかる橋とはちがい、大型船が下を通れる高さの太鼓橋でなければならないために、それを可能にする技術上の問題が解決しなかったからであった。

ただし、このような多くの橋の出現によっても、運河網の重要性が減少したわけではない。人の移動も物資の輸送も、地面の上ですむ割合が増したことは事実である。しかし、運河の役目は、「生きている潟《ラグーナ》」を保つことにある。十二世紀のヴェネツィア人は、国土の統一を、運河を埋めるのでなく、その上に無数の橋をかけることによって行ったのであった。

このようにして、百五十を越える島、百八十に近い運河、四百十を数える橋からなる、ヴェネツィアが誕生したのである。

他の都市国家が都市の周囲にめぐらせた城壁は、ここヴェネツィアでは、水であった。

「ヴェネツィアとフィレンツェは、性格のまるで違う二人の人間のようだ」

と書いたのは、フィレンツェの人マキアヴェッリである。

まったく、ルネサンス文明のにない手とされるこの二つの共和国は、同じイタリア人の手になった国かと疑うほどにちがっている。


私は、マキアヴェッリの言葉に示唆《しさ》されて、ヴェネツィアという国家を、一個の人格として取りあつかうつもりでいる。これまでに述べてきた国づくりによってつちかわれたその人格が、これ以後のさまざまな事態に、どのように対応したかを、ひとつひとつのヒストリア（物語）を語ることによって、書いていくつもりである。

これが、ヒーローの国であった、それがために個々のヒーローの伝記を書いて、それを連らねていけばまとまるフィレンツェの歴史に比べて、アンティ・ヒーローの国に徹したヴェネツィア共和国の歴史を書く、唯一《ゆいいつ》の方法だと信ずるからである。

第二話は、ヴェネツィア人が、海に出ていく話だ。それは、西暦一千年の前後に起る。

最も不利な条件下に身の安全を求めねばならなかったヴェネツィア人も、非常な努力によってそれを克服した時、かえってその不利を、有利へと転化することを考えるようになる。それは、彼らにとって、海へ出ることであった。河川交易から、より危険は多いが利益も多い、海洋交易への転換である。

他のヨーロッパ諸国の人々が、キリスト生誕一千年後に襲うと予言された、黙示録に書かれたような世界の終末が今にもやってくるかと、怖れおののいて暮らしていたのと、同じ時代の話であった。

第二話
海へ！

海賊退治

海に出て行くことによって、豊かになる道は二つある。一つは、交易に従事することであり、他の一つは、海賊を業とすることである。生れたばかりの海洋国家ヴェネツィア共和国は、第一の道をとる。となれば、彼らの最初の対決の相手が、ヴェネツィア商船の航行の安全をおびやかす海賊になるのも当然であった。

海賊退治——これが、海へ出て行くと決めたヴェネツィア人にとっての、国づくりに次ぐ国家規模の事業となった。

少し前まではユーゴ・スラヴィア、その後はスロヴェニア、クロアツィア、モンテネグロ、アルバニアに分れたアドリア海の東岸を旅していて驚かされるのは、次々と眼前にあらわれては消える入江の数と、その構造の複雑さである。対岸にあたるイタリアが、ヴェネツィアから南下してブリンディシに至るまでゆるやかな一線で描けるのと比べて、実に対照的な印象を与える。

海賊にとっては、格好の地形であったにちがいない。入江にひそみ、物見の知らせる商船が近づくや、快速船を駆って襲う。隠れ場所にもこと欠かない。海賊の横行が、アドリア海の西岸ではなく東岸に集中したのも納得がいく。十世紀当時のアドリア海に出没した海賊は、ビザンチン帝国の衰退に力を得て南下をはじめていた、スラブ民族であった。


ヴェネツィアは、アドリア海の最も奥に位置する。そのヴェネツィアがオリエントと交易しようと思えば、アドリア海を通り抜けるよりほかに道はない。ここで、アドリア海の東岸には海賊がウヨウヨしているのなら、なぜそれを避けて、アドリア海の西岸沿いに航海しなかったのか、と問う人がいるかもしれない。

だが、この航路は、航海に必要な種々の条件からして、不可能事ではなかったにせよ、有利な航路とは言えなかったのである。

地中海では、またその一部であるアドリア海でも、貿易風と呼ばれる一定方向の風が長期間吹く大洋とちがって、風の方向はしばしば変化するのが特徴である。そのような海では、順風に帆をあげて何日も何日も航海を続けるというようなことは、ほとんど起りえない。しばしば寄港せざるをえないのは、要は順風待ちのためなのだ。そのためにも、沿岸航路をとらざるをえないのだが、このような情況下では、平坦な海岸がつづく西岸よりも、逆風を避けながら順風を待つことのできる、島が幾重にも重なり、いたるところに入りくんだ入江を持つ東岸のほうが、絶対に有利な条件をそなえていたのである。沿岸航行である以上、海賊にとって都合の良い地形は、船乗りにとっても都合の良い地形だった。

それゆえに、ヴェネツィア人にとっての海賊退治は、ただ単に海賊を退治すれば済む問題ではなかった。海賊退治が、以後の自分たちの商船の航行の安全につながらねばならない。それには、寄港地、つまり基地の確立が不可欠になる。この二つを同時に行える好機は、西暦一千年の前後にやってくる。一人の若者の、周到な準備と果断な行動が、その口火を切った。

ピエトロ・オルセオロが十五歳であった時に、同じ名を持つ父が元首《ドージェ》に選ばれた。しかし、もともと信仰心の厚かった元首《ドージェ》オルセオロ一世は、二年後に元首《ドージェ》の地位を捨て、僧院に隠遁《いんとん》してしまう。息子が元首《ドージェ》に選ばれたのは、それから十三年後のことである。三十歳という、異例に若い元首《ドージェ》の出現であった。

九九一年に元首《ドージェ》に就任したピエトロ・オルセオロ二世は、内外ともに情勢の安定した国を引き継いだわけではなかった。

当時のヨーロッパ世界は、古代ローマ帝国の後継者をそれぞれ自任して、ことごとに争うビザンチン帝国と神聖ローマ帝国の両勢力にもまれる状態にあった。

元首ピエトロ・オルセオロ二世

とくにヴェネツィアは、政治的にはビザンチン側に属しながら、地理的には神聖ローマ帝国に近いという特殊な立場にある。長い時間はかけたにしても、ひとかどの海上戦力を所有するまでになっていたこの時期のヴェネツィアを、両勢力とも自派に引きこもうと策すのは当然である。ビザンチン帝国も神聖ローマ帝国も、ヴェネツィア国内のそれぞれのシンパたちに、積極的な働きかけをはじめた。

もともと、地理的な理由からにしても政治経済的な理由からにしても、ヴェネツィアの国内にはビザンチン派と神聖ローマ帝国派が存在していたのだから、この外部からの扇動に力づけられて、内部抗争に火が点《つ》くのは簡単だ。ピエトロ・オルセオロ二世の就任する以前の半世紀は、この両派の間で血で血を洗う抗争が絶えなかったのである。追放されたり殺されたりした元首《ドージェ》もいた。オルセオロ一世が元首《ドージェ》の地位を捨て僧院に入ってしまった原因には、この抗争から逃げたいという思いがあったとも考えられる。

だが、若い元首《ドージェ》は父親とはちがっていた。彼は、逃げようとはしなかった。もしかしたらこの頃のヴェネツィアは、一千年余りも続くことになる共和国の歴史の中で、最大の危機に直面していたと言えるかもしれない。外部勢力と呼応した国内の絶え間ない抗争は、イタリアの都市国家の特色でもあった。もしもヴェネツィアもまた、この時期に内ゲバの種を取り除いていなかったならば、ヴェネツィアが、他の国々と同じ悩みを持つことになり、それによって、後年の大を為《な》すには至らなかったであろう。若い元首《ドージェ》は、以後のヴェネツィア共和国の進路まで示したのだ。

元首《ドージェ》ピエトロは、若さにまかせてただちに行動に出るようなことはしなかった。海賊退治は、ただ単に、海賊を追い払えばよいというものではない。金貨の表と裏の関係のように、商船の基地確保という問題とつながっている。そして、これを完成してはじめて、最終的に海賊の出没にもとどめをさすことができるのであった。

それ以前にも、何人かの元首《ドージェ》が、自ら軍船を率いて海賊退治に出陣したことがある。だが、勝ち負けをくり返しただけで、決定的な成果を得るには至っていなかった。それどころか、商船の航行の安全を第一に考えて、アドリア海沿岸の他の都市と同じように、海賊に年貢金を払って、商船の安全航行を認めてもらうのが通例になっていたのである。しかし、この方法は、弱者の立場を認めてのことだけに、保証としては最も不安定なものである。近隣からの脅迫から完全に自由になりたければ、遅かれ早かれけりはつけねばならない問題であった。就任したばかりの元首《ドージェ》は、ただちに海賊退治には出陣しなかったが、年貢金を払うのはやめにする。そして、果断な行動に移る前の、周到な準備をはじめた。

就任一年後の九九二年五月、ビザンチン帝国とヴェネツィア共和国の間に、一つの条約が結ばれた。

それは、これまでと同じく、ヴェネツィア共和国はその独立性を完全に認められたうえで、ビザンチン帝国に属すことを再確認したもので、経済面では、ビザンチン帝国領内でのヴェネツィア人の商業活動の自由を、これまた再確認したものであった。これだけならば、オルセオロ二世の外交上の勝利とは言えない。だが、次があった。

ビザンチン帝国の首都コンスタンティノープルの港に入港するヴェネツィア商船は、入港時に二ソルド金貨、出港時に十五ソルド金貨の寄港料金を払えばよいという項である。合計十七ソルド金貨だ。

ジェノヴァをはじめとする他国の商船が、それまではヴェネツィア商船も払っていた三十ソルド金貨の寄港料金ですえ置かれたのだから、ヴェネツィアの商船にかぎり、今後は十三ソルド金貨を節約できることになったのである。半額近い額の節約は、当時のコンスタンティノープルがオリエント交易の中心地であったことからして、ヴェネツィア商人の受ける利益は大変なものであったにちがいない。

ヴェネツィア商人と他国の商人との間にできたこの待遇上の差は、ヴェネツィア商人がオリエントから持ちかえる商品と他国の商人のそれとの、ヨーロッパでの売り値の差になってあらわれる。結果は明らかだ。ヴェネツィアの海洋交易が飛躍的に発展する基盤のひとつが、これで整えられたことになったのである。

この、ヴェネツィアにとってははなはだ有利な条項に対してのヴェネツィア側の義務は、これまたヴェネツィアにとっては、不都合どころか内心は待っていたことであった。広大な領土を持ちながら、東はセルジューク・トルコ、南はアラブの侵略に悩んでいたビザンチン帝国は、西の防衛にヴェネツィアの海軍を利用しようとしたのである。

ところが、ヴェネツィアにとっては、スラブ人やサラセンの海賊を蹴散《けち》らしてアドリア海の制海権を確立することが、国の発展には必要不可欠なことなのだ。もしも、ビザンチン帝国の要請がなかったとしても、いずれはやらざるをえなかったことなのである。それが、アドリア海の〝警察〟の役目をせよ、と義務づけられたのだから、ヴェネツィアにとっては、格好の大義名分を得たことになった。

大義名分が有効なのは、行動するうえで、精神的拠《よ》りどころを必要とするからではない。行動の真の目的を巧妙にカムフラージュし、少しでも疑わしい事実があったらただちに介入しようと狙《ねら》っている周辺の強国の抗議の口を、あらかじめ封ずるのに役立つからである。

若いながらも、元首《ドージェ》オルセオロ二世は、味方というものは、それが強国であればなおのこと遠くにあるほうが望ましい存在である、ということを理解していたようである。味方となれば、たとえ弱体であろうと、なにかと牽制《けんせい》したがるものなのだ。まして、強大な国であれば、より一層やっかいな存在になる。近くの味方は、しばしば近くの敵よりも始末が悪い。

彼の、遠くに味方を持つ考えに立った外交は、ヴェネツィア共和国が、神聖ローマ帝国側についていたならば避けられなかったにちがいない、これ以後の西ヨーロッパを動乱の地にする皇帝派《ギベリン》と法王派《グエルフ》の争いから、ヴェネツィアを守る役にも立ったのであった。

しかし、神聖ローマ帝国は地理的にヴェネツィアに近い。そのうえ、オリエントから持ちかえる商品の買い手としても、上得意の客なのである。味方にはしなくてもよいが、敵にまわすわけにはいかなかった。

元首《ドージェ》は、ビザンチン帝国との条約が結ばれた二ヵ月後、国内の親西欧派にも相談せずに神聖ローマ帝国皇帝に使節を派遣し、神聖ローマ帝国領内での、つまり西ヨーロッパでの、ヴェネツィア商人の商業活動の自由の保証を要請した。

これは、シャルルマーニュ以来、時折の中断はあったにせよ与えられてきた保証の確認にすぎなかったが、こちらのほうは義務がともなわない。だが、それがためにかえって、ヴェネツィアを必要とするビザンチン帝国との条約に比べて不安定な協定であることも確かである。元首《ドージェ》オルセオロ二世は、その四年後の皇帝オットー三世の来伊の好機を逃さなかった。

皇帝の許《もと》に、元首《ドージェ》の幼い長男が、息子の名づけ親になってくれるよう依頼した元首《ドージェ》の手紙とともに送られる。すでにピエトロという名を持っていた息子は、名づけ親である皇帝の配慮に感謝する意味で、皇帝の名をイタリア読みにした、オットーネという名に変えられた。キリスト教世界での名づけ親と子の関係は、実の親子のそれにも劣らないほどの、精神的つながりを意味するのである。

周到な準備もこれでととのった。あとは、好機を捉《とら》えて果断に行動するだけである。そして、好機は、少しずつ熟していた。年貢金を納めないだけでなく、ビザンチン皇帝の承認を盾に強腰になったヴェネツィア船との対決を避けて、船ではなく陸地を荒らしまわるのに戦術を転換したスラブの海賊に、この地方の小都市が悲鳴をあげたのである。

彼らも、政治的にはビザンチン領に属していた。そのうえ、南下してきたスラブ民族とはちがって、自分たちをラテン民族と認じている。ビザンチン帝国の保護が及ばないとなれば、同じラテン民族のヴェネツィアに保護を要請するのは、彼らにしてみれば当然の話だ。しかも、ヴェネツィア共和国は、ビザンチンの皇帝によって、アドリア海の防衛をまかされたのだから、政治上でも問題はないのであった。

海の高速道路

西暦九九八年の五月、キリスト昇天祭の日を期して、三十七歳になっていた元首《ドージェ》ピエトロ・オルセオロ二世は、多数の軍船を率いてヴェネツィアの港を出帆した。行き先はザーラである。その地には、ヴェネツィア共和国の保護を求めてきた、二十以上のアドリア海東岸の都市の代表が、保護を与えられる代りに恭順と服従の誓いを捧《ささ》げようと待ちうけていた。

儀式は、荘厳《そうごん》なうちに行われた。ただし、レジーナとクルツォラの二つの島の代表だけが欠席していた。

儀式を終えた元首《ドージェ》の行動は早かった。二つの島は、ヴェネツィア軍の猛攻をうけ屈服する。彼らにとって幸いであったのは、ヴェネツィア軍が、当時の戦いの慣例とはちがって降伏した者の人命にはふれなかったことであった。

海賊退治が徹底的になされたのは言うまでもない。河岸をさかのぼって逃げる海賊を追いつめるほどの一掃作戦の前に、スラブ民族の海賊は、完膚《かんぷ》なきまでにたたきのめされたのである。それからの長い間、アドリア海沿岸の人々は、海賊の襲撃におびえないですむようになった。この勝利に満足したビザンチン帝国皇帝は、元首《ドージェ》に「ダルマツィアの公爵《こうしゃく》」の称号を与えて、その労をねぎらった。

このような好条件がととのえば、ヨーロッパの他の地方ならば、ただちに征服につながる。完全な領有である。だが、ヴェネツィア共和国はそれをしなかった。いや、五万足らずの国民しか持たないのでは、やりたくてもやれない状態であったと言うべきかもしれない。ヴェネツィア共和国は、向うからの申し入れがあったにせよ、こちらの軍事力で屈服させたにせよ、獲得したアドリア海東岸の諸都市の恭順と服従に、ほぼ完全な自治権を与えることによって応じたのであった。ヴェネツィアの義務は、その海軍によってこれらの都市を守ることであり、それに対する諸都市の義務は、ヴェネツィア船の寄港地の提供と、新鮮な水と食糧と漕《こ》ぎ手の調達を認めることであっ

た。スキアヴォーニと呼ばれるこの地方出身の水夫の数は多く、ヴェネツィアの港の一つは、

「リヴァ・デリ・スキアヴォーニ」

スキアヴォーニの河岸、と、現在でも呼ばれている。

こうであれば当然だが、アドリア海の東岸の諸都市は、その政体さえほとんどそのまま残された。法律も風習もなにもかも。この支配方式が上手く運ぶのは、支配者も被支配者も、先に古代ローマ、その後はビザンチンという文明圏に、ともに属していた同士という事情もあるだろう。だがこれが、実にヴェネツィア的な海賊の退治法でもあったのだ。血を流した後はすぐ、頭を使ったのだ。それは、昨日までの敵を今日からは味方にするやり方だった。

しかし、他国を守るとはいえ結局は自衛のためなのだが、ヴェネツィア共和国にとってアドリア海の〝警察〟の役目をつづけるのは、大変な仕事であったにちがいない。まず北から、ポーラ、ザーラ、セベニーコ、スパーラトの街、レジーナ、クルツォラの島、ラグーザ、カッタロ、スクータリ、そしてアドリア海の出口ヴァローナと、ガレー船の日中の航行距離に一致した地点にある街に、堅固な城塞《じょうさい》が築かれる。港の

近くには、船の修理のできる造船所と、荷を置ける倉庫が必ずあった。

その他の場所にも、入り組んだ入江や湾の奥には、それが複雑で数も多ければ多いほど、それを眼下にする戦略要地に、数えきれないほどの要塞や塔を建てていく。現在でも、そのあたりを旅していると、戦略要地だとこちらが見当をつけた場所には、待っていましたとでも言うかのように、かつてのヴェネツィア人の築いた要塞の遺跡が残っていて、イタリアに近づく頃には、要塞を見つけても、ああまたか、としか思

西暦1000年前後のアドリア海周辺

わないほどである。しかも、それらの造りはなかなかに良くできていて、近年の地震にもビクともしない。ヴェネツィア人は商人として優れていただけでなく、城塞建築の技師としても相当な腕の持主であったにちがいない。これら陸地に築かれた要塞と、海上をパトロールする軍船によっ

て、ヴェネツィアは、アドリア海の〝警察〟の役目を果したのであった。〝警察〟の役目をするということは、大国になったということである。アドリア海はそれ以後、ヴェネツィア共和国が滅亡する十八世紀の終りまで、

「ゴルフォ・ディ・ヴェネツィア」

ヴェネツィアの湾、と呼ばれるようになる。中世の地図には、だから、アドリア海とは記されていない。

名著『フェリペ二世と地中海世界』の著者ブローデルは、ヴェネツィアは、アドリア海をヴェネツィアの湾にし続けるのを、商人らしくなく、カネではなく自らの血を流すことによって成し遂げた、と書いている。これを、学者らしくもない情緒的な表現だと笑う人は、アドリア海の歴史に無知な人であろう。古代ローマの伝統をひき、ビザンチン文明下に属すラテン民族であると思っていたスキアヴォーニたちは、ヴェネツィアの、まことにヴェネツィア的な支配に不満はなかったかもしれない。だが、しばらくするとハンガリー王がこの地方を領するようになる。そのうえ、南イタリアからシチリアにかけては、はじめはアラブ人が、次いではノルマン人が支配するようになる。これら領土支配型の民族に対して、ヴェネツィアの拠点支配方式は、被支配

国の国民を兵士として徴用できない仕組みからしても、不利な情況下で戦わざるをえなかったのである。制海権の死守、という言葉は、けっして誇張ではない。

しかし、制海権の死守という言葉は、頭の中では理解できても、なにか胸に応《こた》えるものがなくて困っていた。軍事的な意味でしか、私には考えられなかったからだろう。

それが、アドリア海東岸の諸都市を訪れ、そこにヴェネツィア人がなにを築いたかを一つ一つ調べていくうちに、全身でもって納得できるようになったのである。

元首《ドージェ》ピエトロ・オルセオロ二世は、つまりヴェネツィア共和国は、海の上に〝高速道路〟を建設しようとしたのであった。

高速道路には、一定の距離を置いて、ガソリンの給油所がある。故障した車のためには、部品までそろえたちょっとした修理工場まである。なにも、出発を前にしてサンドイッチや飲物を多量に用意する必要はない。レストランも、飲物を売るバアも、そのうえモーテルから簡単な診療所まであって、高速道路を出なくても、旅をつづけていけるようなっている。旅行の安全を期し、時間の無駄をはぶくよう配慮されたこの方式を、ヴェネツィア人は、海上で実現したのであった。

現代の高速道路上で事故でも起った場合は、ＳＯＳと書かれたボックスから近くの給油所に電話をかければ、救援車は来てくれる。それがヴェネツィアの〝高速道路〟の場合は、一定の航路さえ航行していれば、船からの合図を近くの崖《がけ》の上にある要塞でキャッチし、救援船がかけつけるように配慮されていた。

また、高速道路の入口には、「アペニン山脈は雪はげしく、チェーンの必要あり」などと記した掲示板があるように、ヴェネツィア商船の寄港地では商船の行く先の政情を知らせ、武装を固め一層の注意をするよう指示することまで行われていたのである。寄港地は、情報を収集し、各船にそれを与える仕事もしたのであった。いや、これこそが、友好国に駐在するヴェネツィア人の領事《コンソレ》にとって、最も重要な仕事の一つであったと言えるかもしれない。

情報は、本国からもたらされるもののほかに、港に入ってくるすべての船の船長の報告によるものも重要な部分を占めていた。知っていることを領事に伝えるのも、船長の義務とされていたのである。天気情報はそれにふくまれていなかった。その理由は、おそらく、熟練した船乗りならば、空模様を見、大気を嗅《か》ぐだけで、明日から三日間はシロッコが吹く、ぐらいの予想はできたからだろう。

高速道路と同じ考えに立つ建設事業では、ヴェネツィアのこれらのほかにはただ一つ、古代のローマ人が建設したローマ街道が思い出される。両者とも、実利的な計算に立ってつくられた点では、まったく同じである。ちがいは、ローマ街道の大部分が未開の地に建設されたため、馬車の一日行程ごとに宿泊やその他のサービスを提供する地点を新しく建設しなければならなかったのが、ヴェネツィアの〝高速道路〟では、あらかじめ存在した町を選択して、そこを整備したことにあった。

とはいえ、こちらのほうが簡単であったとは、いちがいには言えない。ちなみに、日本でも使われているマンションという言葉は、ローマ街道の宿泊所を意味するラテン語のマンショネスに語源を持つ。ヨーロッパの現在の町は、しばしば、古代ローマ時代の街道沿いの宿場に起源を発している。新しく町を建設しようが、古い町を整備しようが、現実的な民族ならば、同じようなことを考えつくものであるらしい。

魚と塩を売る商売だけで満足するならば、こんな苦労はしないですむのである。しかし、海を、地中海を舞台に生きていこうと思えば、航路を高速道路化する必要は、絶対にあった。そして、それを死守する必要も。ヴェネツィア人にとっては、アドリア海を「ヴェネツィアの湾」にしておくのは死活の問題であったからである。

この基礎が、三十代の若い男によって考えだされ、実行されたのは当然だろう。若ければ、明日死ぬかもしれないなどということは考えないものである。三十歳であれば、あと二十年は生きると予想して、周到な計画を立てることができる。ピエトロ・オルセオロ二世は、元首《ドージェ》に就任して十七年後に死んだが、彼の示した方向は、以後ヴェネツィア共和国が滅亡するまでの八百年の間、ヴェネツィア人にとっての基本政略として生き続けたのであった。

〝高速道路〟の建設は、この後二百年して起る第四次十字軍によって、ギリシアを経てコンスタンティノープルまで延ばされて完成する。この話は第三話にゆずるが、ヨーロッパ中が十字軍思想にわき立っていた時代にも、ヴェネツィア人は現実的視野を失わなかったという証拠でもあるのだった。

海との結婚式

しかし、現実主義は、人間の理性に訴えるしかないものであるところから、理性によって判断をくだせる人は常に少数でしかないために、大衆を動員するにはあまり適した主義とは言えない。マキアヴェッリの言葉に、次の一句がある。

「ある事業が成功するかしないかは、その事業に人々を駆り立てるなにかが、あるかないかにかかっている」

つまり、感性に訴えることが重要なのである。アドリア海を「ヴェネツィアの湾」にしておくためには、ヴェネツィア人は多大な犠牲を払う必要があった。だがそのためには、理性的に判断して、自ら先頭に立って犠牲を甘受するエリート階級だけでは充分ではない。ヴェネツィアは、共和国である。民衆の支持が、絶対に欠かせない。そして、民衆は、目先の必要性がないかぎり、感性に訴えられなければ、動かないものなのだ。十二世紀に公式に制定されたヴェネツィアの祝祭「海との結婚式」は、国民の祭りとして毎年くり返すことによって、その方面での効果を狙い、また実際に効果はあったのである。

祭りの日は、元首《ドージェ》ピエトロ・オルセオロ二世が出陣して行った日、キリスト昇天祭の日に決められた。毎年その日には、元首《ドージェ》は、緋色《ひいろ》と金で飾られた儀式用の御用船ブチントーロに、政府の高官たちを従えて乗りこむ。この儀式用のガレー船は、櫂《かい》まで金色に塗られた豪華船で、多くの船やゴンドラを従えて、ヴェネツィアの外港であるリドの港へ向う。ここの教会で総主教《パトリアルカ》のあげるミサに列席した後、元首《ドージェ》は再びブチン

ブチントーロ（18世紀の絵画より）

トーロに乗りこむ。海上に出た御用船の上から、元首《ドージェ》は、多くの人が見まもる中で海に向って叫ぶ。

「おまえと結婚する、海よ。永遠におまえがわたしのものであるように」

そして、用意された金の指輪を海中に落すのである。儀式はこれで終りだ。街に帰った元首《ドージェ》を港で迎えた後、その日一日中、ヴェネツィアの庶民は仕事を休んで騒ぐのである。景気づけには祝杯がつきものというわけだ。

ある日本人は、この儀式の意味を、ヴェネツィアという女が海という男と結婚するところにあると書いていたが、これはなんとなくおかしいように私には思われる。

たしかにこの学者の言うように、イタリア語の共和国は女性名詞であり、海は男性名詞であらわされる。海の守護神は、最も男性的な神のポセイドンなのだ。

しかし、女のほうが、あなたをずっとわたしのものにするためにあなたと結婚したい、と宣言するのでは、なにやらいやがる男を無理にでもつなぎとめようとする女のようで、景気づけとしては、あまりふさわしくない解釈のように思われる。やはりこは、あるフランス人のくだした解釈のように、文法上のきまりなどは放っておいて、元首《ドージェ》に体現化されるヴェネツィアを男、海を女、と考えるべきではないだろうか。ヴェネツィアの男たちも、そのように考えていたにちがいない。

理性的に納得してのうえであろうと景気づけられて働こうと、交易で生きようとするのは大変な事業なのである。海賊を業としていたほうが、よほど気楽であったにちがいないと思えてくる。

交易商品

中世の地中海交易があつかった商品といえば、香料を中心とした奢侈《しゃし》品であると思っている人は多いであろう。たしかに、これらの品は、ヴェネツィア商人が商った、典型的な品ではあった。しかし、奢侈品は、絶対に必要な品ではない。そして、商売というものは、買い手が絶対に必要としている品を売ることからはじまるものである。買い手に、買いたい気持を起させるような品を売りつけるのは、その後にくる話だ。

河川交易が支配的であった九世紀までのヴェネツィア商人があつかっていた主要な商品は、塩と、塩づけの魚であった。それが、以後の海洋交易時代に入ると、主要商品が奴隷と木材に代る。いずれも、ヴェネツィア商人の得意先である北アフリカのイスラム教徒たちが、ぜひとも欲しいと望む品であった。

キリスト教によって、奴隷制は完全に廃止されたわけではない。キリスト教徒を奴隷として売り買いすることは禁じられてはいたが、キリスト教徒から見て、異教徒や、また単に不信の徒とされた人々、つまり、いまだにキリスト教化されていない人々の場合は、認められていたのである。

カトリック教会がそれを正当化するためにあげた理由とは、肉体を束縛することは精神の救済に役立つ、というものであった。この理由によって奴隷として売り買いしてもかまわない人々には、異教徒であるイスラム教徒はもちろんのこと、同じキリスト教徒でもカトリック教徒以外の人々までふくまれるわけで、ローマン・カトリックから異端とされていたギリシア正教を信じるキリスト教徒も、理論的にはこの分類に入ることになるのである。しかし、最大の奴隷の産地は、いまだキリスト教化されていない地方であった。六世紀頃はアングロ・サクソン人が、九、十世紀に入ると東欧のスラブ民族が、奴隷市場で売られる主要な民族であった。

しかし、ヨーロッパのキリスト教化が進むにつれて、奴隷の供給源が減少し、十一世紀以後は供給源を求めて、ヴェネツィア商人は黒海まで出かけていかなければならなくなった。それにしても、中世の奴隷は、ヨーロッパからアフリカへ流れていたのである。

奴隷の買い手は、北アフリカのサラセン人が主要な客であった。ハレムにも売られたが、イスラム教徒の軍隊を補強するのに、その大部分が使われたのである。ローマ法王や神聖ローマ帝国皇帝は、奴隷を異教徒に売るのを禁ずる布告を出したが、それは、道徳的見地からというよりも、敵側の軍事力の増強を心配したためで、軍事的配慮によるものであった。しかも、布告がたびたび出されているところからみて、効力のほうはたいしたことはなかったようである。

初期のヴェネツィアにとっての奴隷と並ぶ二大商品の一つは、木材であった。これまた上得意は、北アフリカのイスラム教徒である。アフリカの北部一帯は、長い間の手入れの悪さのために、木材がひどく欠乏していた。反対にヴェネツィアの背後には、多量の木材の供給地が控えている。ヴェネツィアが造船業の先進国になれたのも、近くに安くて質の良い木材の供給地を持っていたからだと言われるほどであった。奴隷とともに多量の木材を積みこんだヴェネツィアの商船が、アドリア海、いや、ヴェネツィアの湾を通り、アフリカへ向って南下していったのである。

しかし、中世の木材は、軍需物資でもあったのだ。法王や皇帝は、異教徒に木材を売るのを禁じた布告を次々と出したが、これまた、ヴェネツィア商人は聴く耳を持たなかったらしい。

北アフリカのイスラム教徒に奴隷と木材を売り、金や銀で支払いを受けたヴェネツィア商人は、その〝外貨〟を持ってコンスタンティノープルへ行く。そして、そこで、必要不可欠な品ではないが西ヨーロッパ人が最も欲しがる、奢侈品を買い求めるのである。香料とか布地とか、金銀の細工品から宝石も。これらを積んでコンスタンティノープルを発《た》ち、ヴェネツィアへもどるのが、初期の頃のヴェネツィア商人の主な交易路であった。商品を持ってヴェネツィアへ着けば、ヨーロッパ各地から集った商人たちが待っていて、荷をほどく間も惜しいように、またたくまに売れていくのである。

少なくとも十三世紀までは、文化の程度は、断然、ヨーロッパよりもオリエントのほうが進んでいた。ヴェネツィアの聖《サン》マルコ寺院の祭壇に、「パーラ・ドーロ」（黄金の後背）と名づけられた、金板に宝石をちりばめた諸聖人の浮彫がある。これは、ピエトロ・オルセオロ一世が注文したと伝えられるのだから十世紀末の作品にちがいないが、わざわざコンスタンティノープルの彫金師に注文して作らせた品である。

ヴェネツィアの船

ヴェネツィア人は、彼らの力の基盤が船であることを熟知していた。いかなるヴェネツィア人も、老朽船でないかぎり、外国人に船を売ることは禁じられていたし、ヴェネツィア人が船を購入する時はヴェネツィア国内で造られた船を買わねばならないと、法律によって決められていた。

実際、ヴェネツィアの造船技術は、十六世紀までは確実に、他国のそれを圧して優れていたから、禁令の第二を守らせることには苦労はなかったが、外国人に船を売ったことがわかれば、厳重に罰せられた。材料は売っても、完成品は売らなかったのである。

帆船

十三世紀の末から十四世紀にかけて起る船の構造と航行技術の変革は、第四話にゆずり、ここではそれ以前の話にしぼるが、当時のヴェネツィアの船は、機能上から二つに大別されると言ってよい。

帆船とガレー船である。

帆船は、各時代を通じての典型的な商船であったが、構造上、次の特色を持つ。

まず、帆が主力であるから、櫂《かい》はそなえていない。海上で突如風が止ったような時は、ただただ風が吹いてくるのを我慢づよく待つしかなく、港への出入りは、船上にそなえつけてある小舟を降ろして、それに引かせたのである。

形は、横から見て丸型である。長さは、幅の約三倍しかないので、ずんぐりした感じを与える。荷を積むのが主目的なのだから当然だ。

二本から三本の帆柱をそなえている。帆の形は、俗に「ラテン帆」と呼ばれる、三角形の帆である。船の上には、船首と船尾に、合計二つの船橋がある。船尾の船橋は、操舵室《そうだしつ》のある場所だ。大型帆船ともなると、船尾の船橋は数階にもなり、最上階の操舵室以外は、船室に使われる。もちろん、上等の客用である。

帆柱の上には、檣楼《しょうろう》がのっかっていて、見張りのためばかりではなく、戦いにでもなった場合の、攻撃の場所としての効用も持っていた。

甲板は普通、上甲板と下甲板に分かれていた。上甲板は船客や船員用であり、下甲板は荷を積みこむ場所である。

この種の帆船は、商人や十字軍兵士や聖地巡礼者の需要が増えるにつれて、ヴェネツィアは聖地巡礼の〝観光事業〟でも先進国であったが、だんだんと大型化してくるようになる。年代記に「浮ぶ城塞」と書かれるほどの大型船もあらわれた。ヴェネツィアの持っていたこの種の大型帆船は、まさに「ロッカフォルテ」つまり、「城塞」という名の帆船で、五百トン級の船である。

現代では普通の商船でも一万トン、石油タンカーともなれば十万トン級の船は珍しくないのに比べれば、ひどく小さいように感じられるが、十九世紀までは、五百トン級の船は大型船であったのだ。十八世紀になって活躍するイギリスの東インド会社の船でも、これより少し大型であっただけである。「メイフラワー」が百八十トン、コロンブスの使った「サンタ・マリア」号でも百トンでしかなかった。

中世では、ヴェネツィアやジェノヴァのような活発な海洋都市国家だけが、二百トン級の大型船を所有できたのだが、「ロッカフォルテ」級の船は、全地中海でたった六隻《せき》しかなかったという。一二六〇年の記録では、ヴェネツィアとジェノヴァが、それぞれ二隻ずつ所有しているとなっている。だから、普通、大型商船とされる船でも、二百トン級の船であったのだ。

この種の大型帆船でも、舵《かじ》は二つで、カヌーの櫂に似た形であり、船尾の両側についていた。それを操る仕組みは、操舵室につながっていた。

錨《いかり》だが、一隻の船に、十から二十もの大小の錨が、それぞれの用途に適した長さの鎖につながれてそなえてあった。この錨は重要な財産なのだが、それについては第四話で述べることにする。

大型商船ともなると三本、それ以外でも二本の帆柱をそなえていたが、帆柱はまっすぐ立っていると言うよりも、前方に少しかたむいており、それになならめに帆桁《ほげた》がつけられている。帆桁の長さは、ほとんど船の長さと同じくらいあった。帆桁につけられる帆は、前述したように、三角のラテン帆である。

帆は、数多く用意されていた。しかし、われわれが思い浮べるネルソン提督時代の帆船のように、一本の帆柱に何本もの帆桁がつけられ、それぞれの帆桁に一枚ずつの帆が結ばれて、それらがいっせいに風をはらんで進む、という光景は、この時代ではまだ見られない。一本の帆柱には一本の帆桁しかつけられず、一本の帆桁には一枚の帆しか張られなかった。たくさん積まれていた帆は、破損した場合の交換のためであり、また、用途に応じて交互に用いるためであった。例えば、微風の場合は、前方の帆柱の帆桁に、「アルティモーネ」と呼ぶ、大型で薄地の綿の帆を張る。また嵐になりそうな時は、帆桁を降ろし、この時代の帆桁は後世とちがって定着されていなかったのだが、それに小型だが厚地の帆を張るのである。停船時は、帆は帆桁に巻きつけられる。

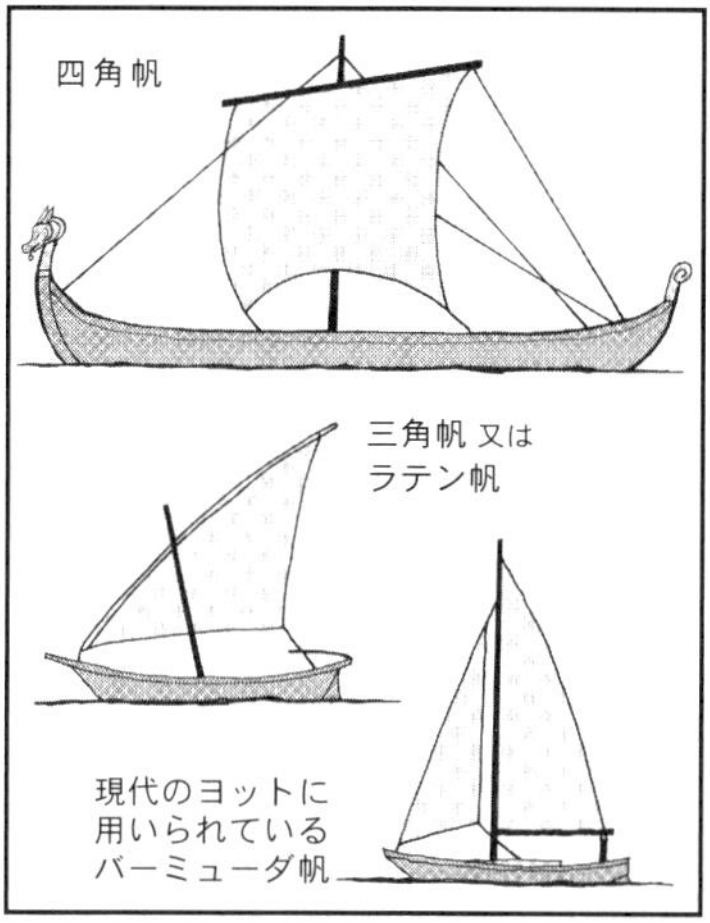

古代に使われていた四角帆が、中世になると、なぜ三角帆に変ったのであろうか。古代でも中世でも、地中海という自然条件は同じなのだから、これは、技術上の改良による結果と考えるしかない。四角帆にも、また三角帆にも、それぞれ利点と欠点がある。

まず四角帆のほうだが、これは追い風に恵まれた場合は絶対に強い。順風を帆にはらんで、の形容通りに速く進む。しかし、いったん逆風となると、前に進むどころか下手をすれば後に押し流されるという欠点がある。貿易風と呼ばれる、一定期間同じ方向に風が吹きつける大洋の航海の場合には、だから四角帆のほうが有利なのである。追い風の吹く季節を見はからって、航海すればよいわけだ。

一方、三角帆のほうは、追い風に恵まれても四角帆より速度は遅いという欠点はあるが、逆風になっても、四十五度の角度をとるジグザグ航行にしても、前へ進めるという利点を持っている。地中海は、しばしば風の向きが変るので知られている。この海を航海するには、追い風が吹いてくれないと動けない四角帆の帆船よりも、三角帆のほうが、行動が格段に自由になるのであった。

もちろん、四角帆が完全に姿を消してしまったわけではない。小さな船には、四角帆だけしかない船もあったし、一三〇〇年以降は、一つの船に四角帆と三角帆の両方をそなえた船が多くなる。それは、追い風に恵まれた場合に風の力を徹底的に活用するためと、ジブラルタル海峡を越えて大西洋に出る交易路が開発されたからであった。

風は、日本などで使われている東西南北よりも、よほどおもむきのある名で呼ばれていた（アドリア海を出て、地中海の真中まで来たあたりを基点としてのことらしい）。

北は、トラモンターナ。トランス・モンターナの略で、山の彼方《かなた》からの風、という意味である。

北東は、グレコ。言わずもがな、ギリシアのことだ。

東は、レヴァンテ。太陽の昇る方角を意味している。東地中海は、レヴァンテの海、と呼ぶのが普通だった。

東南は、シロッコ。シリアの方角から吹く風を意味している。

南は、アウストロ。オーストラリアの国名は、ここから来ている。

南西は、リベッチオ。リヴィアの方角からの風という意味である。

西は、太陽の沈む方角という意味で、ポネンテと呼ばれた。

北西は、マエストラーレ。フランス語ならばミストラルだが、もともとは、ローマのある方角からの風、という意味である。「全民族の師」と言えば古代ローマ人のことを指すのは中世人にとっての常識であったので、

「マエストロ・デイ・ポポリ」

が略されて、師のいた方角からの風というわけで、マエストラーレとなったのである。

現代でも、漁夫たちはもとより、天気予報から文学まで、この名称が使われている。

話を帆船にもどすが、いかに三角帆を使い、逆風時でも比較的行動の自由を保てたとしても、「ロッカフォルテ」級の大型船ともなると、風の抵抗はやはり強く、逆風が吹けば実質的に港から動けない、という場合が多かったにちがいない。大きければ大きいほど良いというわけにはいかないのだ。それで、「タレッテ」と呼ばれる、小型の帆船がつくられた。百トン級のこれならば、逆風時でも自由に動けるからである。

この型の船は、船橋が船尾に一つしかなく、甲板は一層なので吃水線《きっすいせん》からの高さが少ないために、戦闘には適していなかったが、輸送船として多く使われた。とくにこの型の船を少し大きくした「ウシエレ」と呼ばれる船は、馬を運ぶ船としてつくられただけに、船着場から船底に馬をそのまま引いていけるように設計されていた。この馬専用の船が、十字軍輸送に大活躍する船になる。

ガレー船

中世の地中海世界で活躍した船は、と問われれば、ただちにガレー船という答が返ってくるほど有名なガレー船だが、船はみなガレー船であり、ガレー船は櫂で漕《こ》いで進む船であり、櫂を漕ぐのは鎖に繋《つな》がれた奴隷であった、という思いこみは、完全にまちがっている。

　ヴェネツィアの船がみなガレー船ではなかったということは、帆船の説明ですでに述べた。帆船の重要度が減少したことは、一度もなかったのである。


　丸型の船という意味で「コッカ」とも呼ばれた帆船の長さが幅の約三倍であったのに比べて、ガレー船ともなると、長さは幅の八倍もあった。それで、「ナーヴェ・ルンガ」（長い船）とか、「ナーヴェ・ソッティーレ」（細い船）とか呼ばれたのである。ガレー船の幅は五メートルが普通であったので、長さは四十メートルもあったことになる。船橋は、大型ガレー船でもないかぎり、船尾に一つしかない。

　帆柱は、二本が普通だったが、大型になると三本もつ船も少なくなかった。帆桁は、船の長さと同じであったから、これまた四十メートルはあった。帆は、もちろん三角帆である。帆船とちがうところは、そなえつけの帆は、破損した時の交換用だけのもので、帆船のように、天候の具合によって換えるための幾種類もの帆を用意しなくてもよいことであった。悪天候ともなれば、帆を降ろして、櫂を漕げばよいからである。

ガレー船の利点は、逆風であっても風が吹いてくれないことにはどうしようもない帆船とはちがって、比較的にしろ風に左右されないですむ行動の自由にあった。船の構造が低く細っそりしていたから、風や海水の抵抗も少なく、速度は速かった。四ノットから六ノットの速度が出たという。

ただし、ガレー船にも欠点はあった。荷を積むにしても多量に積めないことと、人件費がかかりすぎるので、商船としてはあまり適していないことである。帆船に比べて、漕ぎ手が加わるからで、前述したように漕ぎ手は奴隷でなかったから、船乗りとして給料を払う必要があった。

その当時のガレー船は、「ビレンミ」と呼ばれるものが多く、この場合は、一つの腰かけに二人ずつ漕ぎ手が並んで坐り、各々が一本の櫂を持って漕ぐようになっている。しばらくすると「トリレンミ」が一般的になるが、その場合も、一つの腰かけに三人が並んで坐るのであって、三段櫂という日本訳は、古代ならばまだしも中世ではふさわしくない。

漕ぎ手の一人一人が一本ずつ持つ櫂は、船べりからすこし海上に突き出たところに定着されていて、それをてこにして動くようになっていた。船べりに定着させないで、海上に突き出たところに棒を渡してそれに定着させたのは、てこの原理でもわかるように、手許《てもと》からなるべく離れたところをてこにすれば、漕ぎ手の労力がより効率的に発揮されるからである。この方法はギリシア時代からすでにあり、ヴェネツィア人はそれを改良したにすぎない。

普通のガレー船では、二人ずつ並んだ漕ぎ手の櫂は二十七列で、それが船の両側に並ぶわけだから、漕ぎ手だけでも百八人になる。「ロッカフォルテ」級の大型帆船の乗組員は、百人を越したと言われるが、それがガレー船では、漕ぎ手だけでもその数に達してしまう。まして、五百トンの「ロッカフォルテ」でなく、普通の大型帆船とされた二百トン級の帆船になれば、乗組員の数は、半分近くで済んだであろう。ガレー船では、百人を越す漕ぎ手に加えて、二十人から四十人の乗組員を必要とした。簡単に計算しても、百五十人と五十人の人件費のちがいは大きい。

また、櫂を漕いで進むからガレー船なわけだが、だいたい十時間も続けてあの重労働をするなど、危急時でもないかぎりは不可能である。それに、ガレー船の航海の記録には、しばしば、風に恵まれて、という記述が出てくる。櫂というのは、現代ならば、ヨットにつけられたモーターと思ってよいのではないか。帆で行ける間はそれを活用し、漕ぎ手は、櫂を水平より少し上のところで固定しておいて休息する。港の出入りにしても、漕ぐほうが、帆を操作するより簡単だ。また、海上ではしばしば起る、突如風が止るという事態にも、ガレー船は強かったであろう。風がぴたりと止って、何日間もそよとも吹かないというようなことは、意外と多かったのである。帆船の航海日誌などには、そういう場合にどうしようもなく、何日も海上に漂流する記述が、よく見られる。これほどひどくなくても、早朝や日没前に風が止るのは、海で過ごしたことのある人ならば、誰もが経験しているにちがいない。

これらの利点と欠点を考え合わせても、ガレー船は、この確実さにおいて、帆船よりまさっていた。ヴェネツィア商人は、交易の相手と持続的な関係を維持することを第一としていたから、航海の予定のたてられるガレー船は、商船としても存在価値があったのである。なによりも、複雑な風と地勢の地中海を航行するのに適した船であった。しばしば補給のための寄港が必要であるという欠点も、簡単な海図とコンパスと、人間の眼に頼るしかなかった当時では、大型帆船といえども夜間航行はできるだけ避けたのだから、それほど決定的な不利ではなかったろう。羅針盤が一般的になるのは、十四世紀に入ってからである。

しかし、ガレー船がその存在価値を発揮するのは、何よりもまず軍船としてであった。この場合は、人件費がかかりすぎるとか、荷が多く積めないとかの欠点は関係なくなる。敵に出会えば、帆は降ろされ櫂はフルに回転して、風に左右されず舵取りも容易という利点が格段に生きてくる。同じようなガレー船が相手でなければ、敵船と戦闘をかまえるか否《いな》かは、こちらの意志次第であった。

戦うとなれば、鋭くのびた船首は武器に変り、敵船の船腹を突き破ることもできる。また、大砲がまだ普及していない時代であったから、海戦と言っても、船と船がぶつかって、敵味方の戦闘員が甲板上で入り乱れて闘う白兵戦であった。そうなれば、数の多いほうが有利になる。ヴェネツィアのガレー船の場合は、漕ぎ手も戦闘要員に加えたから、その面での利点は大きかった。だから、漕ぎ手に奴隷を使う必要もなかったのである。

軍船のガレー船の漕ぎ手は、次のようにして集められた。

ヴェネツィアの六十余りの教区《パロッキア》別に、二十歳から六十歳までの全男子の名簿が出来ており、これをまた十二人ずつのグループに分けてある。このグループの中で誰がその時の軍務につくかは、グループに属する全員で決めるのである。軍務につくと決った者には、他の十一人から一リラずつ、計十一リラが、ほかに国からの五リラが加わり、計十六リラが給料として支払われることになっていた。しかし、決った者でもなにかの理由で軍務につくことができない場合は、六リラ払って、他のメンバーの誰かに代ってもらうことも可能であった。要するに、兵役であったのだ。

これはしかし、軍船の場合である。商船となると、完全に給料を稼ぐ職業人であった。この場合は人口の少ないこともあって、ヴェネツィア人だけではとても足りず、友好国や属国の人々が多かった。ガレー船の漕ぎ手が自由民であったのは、ヴェネツィアにかぎらない。ジェノヴァもピサも、イタリアの海洋都市国家は、ヴェネツィアと同じ理由で奴隷を使わなかった。奴隷や捕虜を鎖につないで漕がせたのは、イスラム教徒の船か、同じくイスラムの海賊船の話である。

ヴェネツィア共和国は、船の乗組員には全員に武装の義務を課していたから、闘うのが専門の騎士だけでなく、船乗りも漕ぎ手も、軽武装ながら、武器や武具持参で乗船したのである。漕ぎ手の坐る腰かけが、風や雨から守ってくれる下甲板になく上甲板に置かれたのは、いざ合戦という時に、戦闘要員として、ただちに活用できるように考えたからであった。敵船に近づくまでは櫂を漕ぎ、接近したら櫂をしばりつけ、斧《おの》や剣を持って突撃するのである。ただし、漕ぎながら接近している間に、敵船からの矢にでもあたる危険はおおいにあったので、戦闘態勢に入ったガレー船は、ぐるりと船べりぞいに盾を並べ、漕ぎ手を敵から守るのが常であった。

武器としては、剣や斧や槍《やり》や弓矢のほかに、釘《くぎ》の先がたくさん突き出ている角材を敵めがけて投げつける、というのもあったが、石けんを溶かした水も、重要な武器とされていた。それを敵船めがけて浴びせると、甲板の上がぬるぬるして、足を取られた敵兵は行動の自由を失うというわけである。武装した大の男たちが、石けん水を浴びて滑ったりころんだりする光景は、想像するだけでも笑ってしまうが、冗談ではなく真面目《まじめ》な史実なのである。

ヴェネツィア共和国では、十世紀から十三世紀の話にかぎらず、十八世紀末の共和国の崩壊に至るまで、軍船と商船を厳密に分類することは不可能であった。

ガレー船は軍船、帆船は商船と大別することはできなくはなかったとしても、それは、ガレー船がより軍船に適しており、帆船は、より商船に適していたという理由からだけである。ガレー船も商船として使われたし、戦闘には適していない帆船でも、輸送船として使われた場合は、立派に軍用船であった。商品を積んで目的地へ向って航行中の船だけが商船であった、と言ったほうがよいかもしれない。

これは、ヴェネツィアが直面しなければならなかった現実を見れば、当然のやり方であった。突発事が起った場合、本国ヴェネツィアや他の基地から、軍船がただちに出動する。近くをパトロールしていた軍船に、出動命令が発せられることもある。そして、附近を航行中のヴェネツィア商船にも、指定の港に出頭命令がでるのであった。商船も、自衛のための武装が必要であった時代である。こうして、一見にわか仕立てのように見えるがまったくそうではない、艦隊が編成されるのである。

なぜなら、ヴェネツィア共和国は、こういう事態になるのをあらかじめ想定して、軍船だけでなく商船でも、船の大きさから武装の程度、乗組員の数から積荷の量、航海の期間からおおよその航路まで、共和国政府が指定していたからである。そして、そのコントロールは厳重を極めていた。

もちろん、主として軍事目的にだけ使われた船も、存在しなかったわけではない。ただし、この純軍船でも、他のガレー船と比べて構造上のちがいがあって、軍船とされるのではなかった。また、乗組員全員がヴェネツィア海軍に属しているからというわけでもなかった。ただ単に、乗組員の数が、商船よりも多いという理由によってであったのだ。海戦といえども白兵戦であった現状では、戦闘員の数が戦況を左右したから、漕ぎ手までふくめた戦闘要員を、軍船はなるべく多く乗船させる必要があったのである。六十人以下の乗組員しか乗せていない船は、ガレー船であろうと、軍船と見なされなかった。大砲が用いられるようになるまでの軍船とは、だから、乗組員の数によって決められたのである。これに、商用途中だったガレー船や帆船まで加えて編成された艦隊は、軍船隊の指揮官である提督の指揮に服することになっていた。

ヴェネツィア共和国では、第一話で述べた国づくりでも見られたように、国家がくだす決定が非常に大きな力を持ち、その〝行政指導〟は他国に例を見ないほど強かったが、よくもヴェネツィア人がこれに耐え、不満を持たなかったというのが、他国の人々には不思議に感じられるところである。

だが、これは、ほとんどのヴェネツィア人が、自分の利害と国の利害が一致していることを知っており、ヴェネツィアの統治階級である大商人たちが心がけた、そして実行した、法の平等な実施と利益の公正な（平等ではない）分配に、ヴェネツィア人が不満を感じなかったからであろう。単なる力による上からの押えつけであったならば、一千年余りの間に二回しか反政府運動が起きなかったという、同時代の他の国々とは比べようもないほどの国内の安定を享受するなど、まずもって不可能であったにちがいない。

元首《ドージェ》ピエトロ・オルセオロ二世が土台を築いた政策を、まとめれば三つに分けられる。

第一は、海上の〝高速道路〟の建設であり、第二は、東方の強国にも西方の強国にも従属しないで、独立を保持することであり、第三は、東方の強国ビザンチン帝国の防衛の肩代りをすることによって、アドリア海の〝警察〟の役目をすることである。

これらの政策は、西暦一千年前後に元首《ドージェ》オルセオロ二世がはじめてから、第四次十字軍で第三の方針を全面転換するようになるまでの約二百年間、ヴェネツィア共和国の政治外交の基本方針となったのであった。これらの基本方針を守り抜くか、または転換するかはすべて、経済の発展という根本原則に、それらがプラスになるかマイナスになるかによって決められたのである。

「はじめに、言語ありき」

ではない。ヴェネツィア共和国では、

「はじめに、商売ありき」

であったのだ。彼らは、中世の〝エコノミック・アニマル〟であった。だが、これら〝エコノミック・アニマル〟たちは、少しも、そうあることに劣等感をいだいてはいなかったようである。それは、おそらく、商売を効率良く進めていくには、政治、外交、軍事のいずれの面でも大変にきめの細かい技《わざ》を駆使しなければならず、そのようなアルテ（技能）は、作品を残すアルテ（芸術）に比べて、少しも劣るものでないことを知っていたからであろう。ヴェネツィア共和国は、「はじめに、商売ありき」で、一千年間を生きていくのである。

海上の〝高速道路〟は、ヴェネツィアの商業に、まず安全性と確実性を、そして航海期間の短縮という利点をもたらした。〝高速道路〟の建設と運営に要する人的物的犠牲は、ヴェネツィアの経済の発展のための、つまり共和国全体の国益のための、〝必要経費〟と考えられていたようである。同時代の他の海洋国家も、基地を確保することに熱心でなくはなかったが、ヴェネツィア共和国のように、一貫した「政略《ストラテジア》」に沿って、それを執拗《しつよう》に推し進めた国はほかになかった。

ヴェネツィア人は、自国の独立と自由を、自らの血を流してまで守り抜いた、とは、ヴェネツィア共和国のやり方に賛同しない人でも口にする讃辞である。とくに、現代の西欧の歴史家に、このように言う人が多い。

だが、この人々が賞めるのを中世のヴェネツィア人が聴いたとしたら、どんな顔をしたであろう。

なぜなら、この人々が独立と自由の二語を口にする時、それはしばしば、イデオロギーとして言われるのに反して、中世のヴェネツィア人が独立と自由を守り通したのは、それが自分たちの利益と密接につながっていたからである。ヴェネツィア人の書いたものを読んでいて、独立と自由の二語は、他の言葉に比べて極端に少ないのに気づかされる。彼らは、声を大にして、独立と自由を叫ぶタイプではなかったのであろう。

しかし、実際は、独立と自由を守り抜くために苦労し、また守り抜いたのであった。しばしば歴史には、イデオロギーを振りかざす人がいったん苦境に立つや、簡単にその高尚なイデオロギーを捨てて転向してしまう例が多いのを思えば、ヴェネツィア人の執拗さは興味あるケースである。自分にとって得だと思うほうが、こうあるべきとして考えだされた主義よりは、強靭《きょうじん》であるのかもしれない。西と東の強国のいずれにも決定的に附かず、独立と自由を守り抜いたことによって、ヴェネツィア人は、やはりずいぶんと得をしたのである。

地理的に西欧に近いとはいっても、形式上にしろビザンチン帝国下にあるヴェネツィアでは、神聖ローマ帝国皇帝といえども、自分の領土として考えるわけにはいかない。また、ローマン・カトリック教会のほうも、ヴェネツィア人がカトリック教徒であることをよいことに、法王のやり方にすべて服従せよと迫るわけにもいかない。ヴェネツィア人はギリシア正教徒ではないけれど、政治上は東側に属しているからである。おかげで、ヴェネツィアは、中世に荒れ狂った法王と皇帝の争いに巻き込まれないですんだのであった。

なにしろ、当初は教理上の解釈のちがいからはじまったこの騒動も、たちまち権力をめぐる争いに変り、皇帝の言い分を正しいと思うから皇帝派《ギベリン》、法王の言い分のほうが正しいから法王派《グエルフ》というよりも、日頃から仲の悪い相手が皇帝派だから自分は法王派になる、というのが真相であった。それが、国と国との間に生じるだけでなく、国の内部でも起ったのだから、争いはますます解決から遠ざかることになる。フィレンツェに至っては、その害をもろにかぶったと言えよう。イタリアでは、ほとんどヴェネツィアだけが、この騒ぎに巻きこまれないですんだのである。国力の効率良い活用という点から見れば、まことに幸運な選択であった。

しかし、地理的に近いことからも、宗教上でも同じであることからも、皇帝と法王の争いを、高みの見物としゃれてばかりもいられない。ヴェネツィア共和国は、両派の調停役を買って出る。交易をするにも、戦いのある地よりもない地でのほうが、よほどやりやすいからであった。

一一七七年、ヴェネツィアに、時の神聖ローマ帝国皇帝バルバロッサと法王アレッサンドロ三世が招かれ、主人役の元首《ドージェ》セバスティアーノ・ヅィアニの調停で、和平協定が調印された。もちろん、教理はかざしてはいても実際は利害の衝突であるから、これで争いの火が完全に消えたわけではない。だが、いずれの側にも悪意を持たないヴェネツィアの立場を、双方に認めさせる効果はあったのである。これは、ヴェネツィア商人の通商の自由を犯される心配はない、ということを意味した。

一方、ビザンチン帝国との関係は、ヴェネツィア商業の主力がオリエントに向う一方であっただけに、こちらのほうは真剣勝負であった。ビザンチンがヴェネツィア商人に特権を与える代りに、ヴェネツィア共和国は、ビザンチン領の西方の防衛の肩代りをする。この関係が、十一世紀からはじまって、ほぼ二百年続くのである。

東方への進出

西暦一千年の頃、ヴェネツィア人が戦わねばならなかった相手は、スラブやサラセンの海賊であったが、一〇八一年の相手は、南イタリアからシチリアを征服したノルマン人であった。

この、遠くノルマンディア地方から出てきて南イタリアを征服した人々は、次々と故郷から一族郎党を呼び寄せたにしても小人数であったのに、軍事能力に優れていただけでなく、統治能力もなかなかのものであった。この親類はイギリスへ渡って、そこを征服するのである。シチリアのノルマン人のほうも、南イタリアを征服しただけでは満足せず、ビザンチン帝国征服という大望をいだいたのであった。

ビザンチン帝国領の西の国境は、ギリシアの西岸である。ノルマン人は、支配下に入ったアドリア海の西岸のバーリから、アドリア海の出口に近い狭い海を渡り、現代ではアルバニア領になっている対岸のドゥラッツォに上陸した。ドゥラッツォからコンスタンティノープルまでは、古代ローマ時代に敷設されたイニャツィア街道が、ギリシアを横断して、ほぼ一線に続いている。かつて、ユリウス・カエサルがポンペイウスを追って行った道であり、オクタヴィアヌスとアントニウスの連合軍が、ブルータスと会戦したフィリッピの野も、この街道沿いにある。中世には、長い歳月にわたっての放置で昔ほどの道ではなかったにしても、優れた武将に率いられた勇敢な軍隊の進路をふさぐなにものもないことでは同じであった。ドゥラッツォに上陸したノルマン軍の進路を断てという要請が、皇帝から元首《ドージェ》の許《もと》に送られる。

だが、ヴェネツィア共和国は、ビザンチン帝国から頼まれなくても、軍を出動させていただろう。なぜなら、このノルマンの動きは、ヴェネツィアにとっても一大事であったからである。アドリア海の出口の狭いところを、両岸とも同一国に領有されては、ヴェネツィアは、袋の鼠になってしまう。

しかし、皇帝の要請を受けた共和国政府は、そのようなことはおくびにも出さなかった。それでいて、ヴェネツィア海軍出動に対する、ビザンチン側の代償を要求したのである。ヴェネツィア商業の根拠地をコンスタンティノープルにおく許可と、ヴェネツィア商人にビザンチン商人と同じ待遇を与えるという二項であった。

街道の向うに敵軍のあげる土煙を見る思いでいた皇帝は、この条件を受諾する。ヴェネツィアの港から、艦隊が出陣して行った。ドゥラッツォ攻防戦は、ヴェネツィアの行ったはじめての本格的な戦いであったが、激戦の末にヴェネツィア軍の勝利に終る。コンスタンティノープルの皇帝も、安堵《あんど》の胸をなでおろしたことだろう。

一千年当時に海賊相手の〝警察〟をやった時の代償は、出入港税を半額近くにするという優遇対策であったが、今回のノルマン人相手の代償は、それこそ特権であった。ビザンチン帝国皇帝は、ヴェネツィア商人の全ビザンチン領での完全な自由通商を許したのである。それは、トラキア、マケドニア、ギリシア、小アジアからシリアをふくむ、東地中海地方のほぼ全域を意味していた。そして、これらの地方では、ビザンチンの商人とまったく同等に、関税の全額免除という待遇を与えたのである。

それだけでは終らない。コンスタンティノープルの中心地である金角湾沿いに、ヴェネツィア人居住区を置くことを許され、そこに、店や倉庫や領事館だけでなく、ヴェネツィア船専用の船着場まで置くことも認めた。もちろん、居住区内は治外法権である。コンスタンティノープルには、一〇八二年のこの変化を境にして、続々とヴェネツィア〝商社〟の支店が置かれはじめるのである。

もはや、以前のように、ヴェネツィアからオリエントへ、オリエントからヴェネツィアへという、決りきった航路だけではなくなった。当時の商船の航海を調べていくと、コンスタンティノープルをベースにして、黒海地方からシリアを通りエジプトへ行き、そしてその道を帰る航路をとる商船が非常に多い。本国へいちいち帰港しなければならない必要は、なくなったということを示している。ヴェネツィア商業の、飛躍的発展の基礎ができたのであった。

当時、コンスタンティノープルには、約一万人のヴェネツィア人がいたと言われている。本国の人口が、女子供を合わせても十万人足らずであったことを考えれば、ヴェネツィアのほぼ三人に一人の成年男子は、コンスタンティノープルを根拠地にして、商売に精を出していたということになる。以後、ヴェネツィア政府は、ビザンチン帝国の動向にことさら神経をとがらせるようになるが、コンスタンティノープルをヴェネツィア商業の根拠地にすることの重要さを考えれば、当然の配慮であったにちがいない。

だから、十一世紀末にはじまる西側からの軍事行動である十字軍にしても、ビザンチン帝国がこの動きを疑いの眼で見ていたこともあって、ヴェネツィア共和国も、当初は静観の態度をとるのである。ヴェネツィアがビザンチンから受けていた特権に比べれば、十字軍に参加して得られる利益など問題にならなかったからであった。要するに、ワリに合わなかったのである。

しかし、誰かが得をすれば、それ以外の人間が損をするようになるのはどうしようもない。それも、力がそのままで通用していた時代だったのである。自分が殺《や》らなければ、相手に殺られる時代であった。

そして、ヴェネツィア商人の活躍による被害を最も直接に受けたのは、コンスタンティノープルを本拠とする、ビザンチンの商人である。それまでは待遇に差があり、売り手と買い手の関係にあったので問題は起きなかったのだが、待遇に差がなくなってからのヴェネツィア商人は、彼らにとって、強力な競争相手に変ったのである。まして、ヴェネツィア商業は、一貫した方針を基盤とした〝行政指導〟によって、国家の強力なバック・アップを享受《きょうじゅ》する立場にある。これでは、ヴェネツィア商人が一丸となって攻めてくるようで、ビザンチンの商人にとっては、たまったものではなかったのだろう。

これら商人の不満は、代償の高すぎたことを後悔しはじめていた皇帝の思いと合致した。それに、ヴェネツィアに先を越されて遅れを取りもどそうとしていた、ヴェネツィアのライヴァル、ジェノヴァとピサの両海洋都市国家の思惑がからむ。ビザンチンの皇帝は、先に与えた特権を、更新しない動きを示しはじめた。それどころか、ヴェネツィアの占めていた地位を、イタリア海洋国家の中では最も弱体であったピサに与えようとする。

一〇九九年、十字軍艦隊と銘打ったヴェネツィア艦隊が、アドリア海を南下してオリエントへ向った。しかし、ロードス島に錨《いかり》を降ろした後も、パレスティーナへ向う気配が見えない。附近の島を訪れて聖者の遺骨など収集しては時を過ごし、いっこうに動こうとはしない。パレスティーナでは、第一次十字軍が苦戦中なのである。

そのうちに、エーゲ海にピサの艦隊が集結中、との情報が入った。十字軍の海上補給を務めていたピサ艦隊の主力が、母国からの援軍と合流するのである。ヴェネツィア艦隊は、この時になって動きだした。それも、パレスティーナとは反対の方角のエーゲ海に向って。

ヴェネツィア艦隊がパレスティーナへ向ったのは、ピサ艦隊を撃滅した後のことであり、驚いたビザンチンの皇帝が、あわててヴェネツィアの既得権を再確認したのを、確かめてからであった。

ヴェネツィア艦隊がヤッファ（現代のテル・アビブ）前の海上に姿をあらわした時、そこにはすでにピサやジェノヴァの艦隊がいた。十字軍兵士たちは苦戦中である。十字軍の大将ジョフレ・ド・ブリオンは、ヴェネツィア艦隊にも戦線参加を要請した。ヴェネツィア軍船には、最新式の攻城器が積まれていたからであった。条件は、キリスト教徒の占領した全パレスティーナでの、ヴェネツィア商業の完全な自由である。ヴェネツィア艦隊は、ヤッファ攻撃だけでなく、その成功後はハイファ攻撃にも参加する。

一年半後にヴェネツィアへ帰港した艦隊のもたらした〝土産〟は、シリア、パレスティーナ地方の各都市に、相手国の法によって認められた、ヴェネツィア商業基地開設の許可であった。これで、ヴェネツィアも、はじめから十字軍の海上補給を受持ち、それによってパレスティーナ地方に商業基地を開拓していたライヴァルのジェノヴァやピサと、同一線上に並ぶことになったわけである。

ヴェネツィア共和国の常のやり方は、いったん糸口をつかむと時を置かずに補強し、それを完全に我がものにしてしまうやり方である。ところが、中近東に足場を確保しながら、それから二十年も、ヴェネツィア艦隊はそちらに足を向けなかった。向けなかったのではなく、向けられなかったのである。

アドリア海の東岸に、ハンガリー王が征服欲を示しはじめ、それを押えこむのに、二十年間を要したのであった。ビザンチン皇帝と親戚関係にあり、キリスト教の洗礼を受けてローマ教会とも良い関係にあったハンガリーは、海賊とはちがって強敵である。それを敵にまわして、ヴェネツィアは、〝高速道路〟を守り抜くのに苦労したのであった。ハンガリー王だけではない。アドリア海の出口まで進出してきているノルマンの王とも、戦いと友好条約のくり返しで苦労する。この二大強敵を押えこむのに成功した後、はじめて、ヴェネツィア人はパレスティーナに眼を向ける余裕ができたのであった。

一一二三年、四十隻のガレー船、二十八隻の帆船、四隻の大型ガレー商船から成るヴェネツィア艦隊は、元首《ドージェ》ドメニコ・ミキエレ指揮のもとに、ヴェネツィアを出港する。アドリア海を南下し、エーゲ海を横切り、攻勢に転じたエジプトのイスラム教徒軍によって、海と陸の双方から攻撃を受けていたヤッファの前の海上に到着した時は、

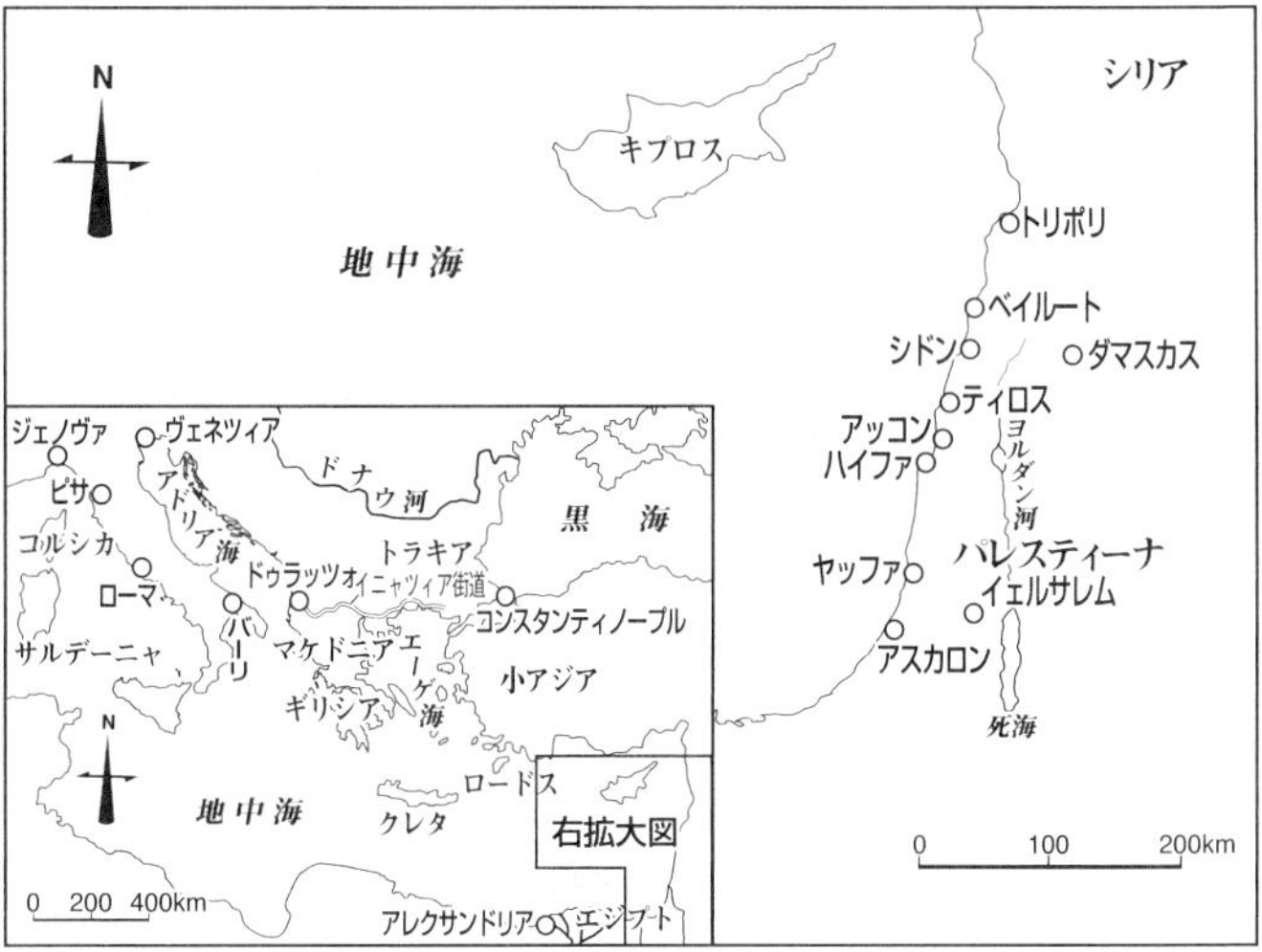

パレスティーナ周辺

すでに夏になっていた。

ところが、ヴェネツィア艦隊が到着する直前に、包囲は解かれていたのである。ヴェネツィア海軍は、いつ何時再び攻めてくるかもしれない敵に対して、海上の警備につけばよいわけだった。

しかし、元首《ドージェ》は、意気の上がっている兵士たちに休息を与えるようなことはしなかった。ただちに、エジプト艦隊の追跡を決める。エジプト艦隊は、エジプトの占領しているアスカロンの港に向っているにちがいなかった。

艦隊が追跡しているとわかれば逃

げられる危険があったので、輸送船団と思われるようにカムフラージュまでした。前衛に、四隻の大型ガレー船を配置する。こうしておけば、敵は、聖地巡礼者を乗せた商船団と思うからであった。巡礼船には、金持も多く乗船していたので、イスラム教徒たちからは、格好の獲物と見られていたのである。

案の定、アスカロンの港も近いという頃、港に入ろうとしていたエジプト艦隊が引き返しはじめた。明け方の靄《もや》のたちこめる向うに、四隻の大型ガレー商船を認めたのである。ところが、引き返してきたエジプト艦隊は、靄の晴れた時、大型ガレー船の背後に、四十隻ものガレー軍船が控えているのを発見した。

不意をつかれたエジプト艦隊が、逃げる間もなく引きずりこまれたこの海戦は、ヴェネツィア側の大勝利に終る。元首《ドージェ》の乗船していた旗艦は、ガレー船特有の鋭い船首を敵旗艦の船腹に突きたて、それを沈めてしまった。二マイル四方の海上が血で赤く染まったと言われるほど、その勝利は完璧なものであった。

しかし、これで終ったわけではない。エジプト艦隊を完敗させた後、ヴェネツィア艦隊はさらに南下する。その途中で、アスカロンの港に向って航行中の、エジプトの商船団に出会わしたのであった。これは、簡単に捕獲した。金銀、胡椒《こしょう》、シナモンなどの多量な積荷を奪ったのはもちろんである。

物質的にも気を良くしたヴェネツィア艦隊は、今度は北上し、十字軍と組んでティロス攻略に参加する。翌一一二四年のティロス陥落によって、アスカロンから北にはイスラムの領する港は一つもなくなったことになる。パレスティーナに建てた十字軍諸国の港はすべて、これで安全港になったわけであった。

ヴェネツィアは、アドリア海の女王から、東地中海の女王になりつつあった。ヴェネツィア海軍に対抗できる海軍は、わずかに、ジェノヴァのそれしかないと言われるほどに。

それでも、ヴェネツィア共和国は、ビザンチン帝国から完全に離れようとはしなかった。西方の防衛の肩代りをさせるだけのつもりでいたヴェネツィアが、強大になりすぎたのは、ビザンチンの皇帝にとってみれば、あまり愉しい現象ではなかったにちがいない。しかし、ビザンチンも、もはやヴェネツィア海軍なしではやっていけない状態にあった。代りをさせようにも、ジェノヴァもピサも、コルシカ島の領有をめぐって争っていて、そんな余裕はない。

ビザンチンの皇帝は、不承不承ながらも、ヴェネツィア人に与えた特権を再確認し続ける。そして、ヴェネツィア人も、実利のともなわない覇権思想などには無縁な国民であった。

ただし、全ビザンチン領内でならばヴェネツィア人は完全に自由であったが、クレタ島とキプロス島だけは除かれていた。それは、この二つの島が、東地中海の戦略要地として、段ちがいの重要性を持っていたからである。ヴェネツィア人も、東地中海を完全に我がものとしようとする時になると、この二島にまず眼をつける。そして、それを獲得して後も、いかなる犠牲を払っても守り抜こうとするのである。

ビザンチン帝国とヴェネツィア共和国の、この微妙な関係も、一一七〇年近くになって、ついに破綻《はたん》をきたす。ヴェネツィアの力が、政治的にも経済的にも、また軍事的にも強くなりすぎたからであった。

一一六八年、特権の継続をしぶる皇帝に対抗し、元首《ドージェ》ヴィターレ・ミキエレ二世は、全ヴェネツィア人のコンスタンティノープルでの交易を禁止する。

だが、二年後の一一七〇年、考え直した皇帝と元首《ドージェ》の間で和解が成り立ち、コンスタンティノープルには再びヴェネツィア人の姿が見えはじめた。

しかし、翌七一年、皇帝が代ったとたんに、コンスタンティノープルで激しいヴェネツィア排撃運動が勃発《ぼっぱつ》したのである。皇帝の秘《ひそ》かな扇動に火をつけられた賤民の暴動は、またたくまに広がり、ヴェネツィア人居住区は破壊され、港に停泊中のヴェネツィア商船は火をつけられて燃えあがった。不幸にもその時コンスタンティノープルに居たヴェネツィア人は、その多くは皇帝の手の者によって連れ去られ、人質として拘禁された。殺された者もいた。幸いにして船でコンスタンティノープルから逃げられた者も、シリアの諸都市にいったん難をのがれた後、本国へ逃げ帰るしかなかった。もちろん、国交は断絶である。

それから二十年もの間、コンスタンティノープルにはヴェネツィア商人の姿は見られなかった。ヴェネツィアは、その交易の主力をシリア、パレスティーナ、エジプトに移し、それらの地を拠点として商売しながら、忍耐強い外交によって、ビザンチン帝国との関係の改善に努めたのである。

一一九〇年、そのかいあって、再びヴェネツィア商人は、コンスタンティノープルで交易にたずさわることができるようになる。だが、もはやヴェネツィア共和国は、ビザンチン帝国との間に、以前のような特権的な関係が永続できるとは期待できなくなっていた。ヴェネツィアは、この時はじめて、ビザンチンと完全にたもとを分かつことを考える。現在のあやふやで不安定な関係を、一挙に解決する必要を感じていた。

一方、西ヨーロッパも、はなはだ意気上らない状態にあった。一一四七年の第二次十字軍も不成功に終り、一一八七年には、サラディンによってイェルサレムも占領されてしまう。一一八九年に鳴物入りで送り出した第三次十字軍も、リチャード獅子心《しししん》王《おう》の英雄ぶりが話題になったくらいで、結果は、十字軍などなかったとしても変りはなかった、と言われる状態にあった。西欧の騎士たちの、面目丸つぶれである。彼らとしては、ここでなにかをやらねばならない、という気分になっていたのである。

二つの潮流は、まことに都合良くぶつかる。一二〇二年にはじまる、第四次十字軍がその合流点であった。

これは、ヴェネツィアが脚本を書き、演出し、主演したドラマである。もちろん、

「はじめに、商売《メルカンツィア》ありき」

の原則に従って。

第三話

第四次十字軍

　数年前、日本で、ある人にこんな質問をされたことがある。

「現実主義者は、それが個人であっても国家であっても、なぜ常に憎まれてきたのだろう」

　もちろん、彼と私の間では、現実主義についての定義づけを、あらかじめすることなどは必要ではなかった。われわれ二人にとっては、現実主義とは、現実と妥協することではなく、現実と闘うことによってそれを切り開く生き方を意味していたからである。

　だが、その時の私は、彼の質問に答えることができなかった。しかし、今ならば、それができるような気がする。

「現実主義者が憎まれるのは、彼らが口に出して言わなくても、彼ら自身そのように行動することによって、理想主義が、実際は実にこっけいな存在であり、この人々の考え行うことが、この人々の理想を実現するには、最も不適当であるという事実を白日のもとにさらしてしまうからなのです。

理想主義者と認じている人々は、自らの方法上の誤りを悟るほどは賢くはないけれど、彼ら自身がこっけいな存在にされたことや、彼らの最善とした方法が少しも予想した効果を生まなかったことを感じないほどは愚かでないので、それをした現実主義者を憎むようになるのです。だから、現実主義者が憎まれるのは、宿命とでも言うしかありません。理想主義者は、しばしば、味方の現実主義者よりも、敵の理想主義者を愛するものです」

第四次十字軍の悪者は、日本の高等学校の西洋史の教科書から十字軍史の世界的権威とされるランシマンまで、ヴェネツィア共和国であることで一致している。

話は、一一九八年にはじまる。その年、フランス騎士道の中心シャンパーニュ地方の城で、馬上槍試合が開かれていた。

主人役は、二十二歳のシャンパーニュ伯ティボー。主客は、これまた若く二十七歳のブロア伯ルイである。二人の貴公子は、ともに、フランス王フィリップ・オーギュストの甥《おい》であり、イギリス王リチャード獅子心王の甥でもあった。フィリップ・オーギュストもリチャード獅子心王も、十年前の第三次十字軍の総大将である。貴族の血統でも十字軍の血統でも、名門中の名門に属する二人の若武者を中心にして開かれたこの馬上槍試合には、フランス騎士道の花がこぞって参加していたであろうことは想像にかたくない。

試合が終って、まだ高潮した雰囲気の醒めやらぬ騎士たちの前に、一人の説教僧が姿をあらわした。前年、ローマの法王イノチェンツォ三世から、十字軍決起をうながすための布教を任された僧である。説教僧の熱弁が、武術試合を終えたばかりで、まだその興奮が醒めていなかった騎士たちの心に、火を点《つ》けるのは簡単だった。

まず、シャンパーニュ伯が、十字軍遠征を宣誓する。同時にブロア伯も、宣誓に立つ。そして、三十人もの封建諸侯や騎士たちも、次々とその例にならった。急ぎの使いが、ブルージュに送られた。ブルージュにいる、シャンパーニュ伯の義兄にあたるフランドル伯ボードゥワンを勧誘するためである。誘いを受けたフランドル伯は、弟のアンリとともに、十字軍遠征参加を誓ってきた。フランドル伯も、二十七歳という若さである。伯とともに、四十人近い騎士たちも宣誓した。

これら七十人を越える封建諸侯や騎士たちの名を、シャンパーニュ伯の侍大将として、第四次十字軍のはじめから終りまでの現場証人であり、素朴な筆ながら生彩ある記録を残したジョフロワ・ド・ヴィラルドゥワンの年代記に従って、一人一人名をあげていけば、中世フランス史にくわしい人ならば、西欧騎士道の花が一堂に会したのだと納得してくれるにちがいない。名あるフランスの騎士で、シャンパーニュ伯の勧誘に応じなかった者はいないと言われるほどであった。

数ヵ月後、十字軍参加を誓ったこれらの人々は、ソアソンに集合した。遠征にはいつ発《た》つか、どの道を通っていくか、を決めるためである。

だが、騎士たちは、こういう現実的な問題となると、議論百出でなかなか結論に達しない。それで、彼らの間から六人の代表を選び、この六人の決めたことは全員の意志とするということにして、全騎士が納得した。

六人の代表とは、シャンパーニュ伯下の騎士が二人、ブロア伯の部下の二人、フランドル伯の家臣の二人である。シャンパーニュ伯下の二人の代表の一人は、前記の侍大将ヴィラルドゥワンであった。この六人が、全権を委任されることになる。ソアソンに集った騎士たちは、この自分たちの〝快挙〟を、早速ローマの法王に報告することでも一致した。

法王イノチェンツォ三世は、非常な満足でこの知らせを受けた。まだ三十代の、後世の歴史家たちから、法王の権力を最高に高めた法王とされるイノチェンツォ三世は、ローマン・カトリックの権威を高めるのに、十字軍運動が非常に役に立ったことをよく承知していた。しかし、第一次十字軍の成功の後、第二、第三の十字軍遠征が失敗に終った原因にも盲目ではなかった。

諸侯の参加は一人もなく、余計者にあつかわれて力を持てあましていた騎士や庶民で構成された第一次十字軍が成功したのに、皇帝や王がキラ星のごとく参加した第二次と第三次の十字軍がなぜ失敗したのか。法王は、その原因の一つが、皇帝や王であるがための欲や嫉妬心《しっとしん》にあると見ていた。皇帝や王は参加しないほうがよいと考えていた法王に、フランス騎士たちの十字軍は、最適のものに思われたのである。皇帝も王もいない。しかし、それに続く有力諸侯や騎士たちで構成される十字軍は、権威の面でも劣るものでは少しもなかった。また、異民族の集合に失敗のもう一つの原因を見ていた法王にとって、ドイツやイタリアからの参加者はあるとしても、主体はあくまでもフランス人であるこの十字軍計画は、考えうるかぎりの案の中でも、最も理想的なものに思われたのである。法王は、この十字軍に一年間従軍した者には、いかなる罪も免罪にするという布告を、説教僧を通じてヨーロッパ中に広めた。中世のキリスト教は、愛の宗教と言うよりは死後の恐怖でしばった宗教と言ってよい。中世人にとっては、免罪ほど心の救いをもたらすものはなかったのである。

それで、現実的な問題解決を一任された六人の代表のほうだが、慎重な話し合いを重ねた末に、次のような結論に達した。

一、十字軍遠征の目的地は、エジプトのカイロとすること。

これは、イェルサレムをイスラム教徒の手から決定的に奪回するためには、イスラム教徒の本拠であるエジプトをたたくしかないという、リチャード獅子心王の認識に従ったのである。

二、遠征路は、海路を取ること。

陸路は、あまりにも遠くまた危険であったので、これは誰にも異存はなかった。

三、十字軍全軍の運搬は、ヴェネツィア共和国に依頼すること。

それまでの十字軍遠征では、主としてジェノヴァとピサが海上輸送を請負っていたのだが、それは少数の運搬であったので、今回のような大軍の輸送のすべてを依頼するとなると、海運力からして、やはりヴェネツィアに頼むしかないというのが、代表たちの一致した意見となったのである。

早速、六人の使節はヴェネツィアへ向った。一二〇一年の五月であった。

エンリコ・ダンドロ

当時のヴェネツィアの元首《ドージェ》は、エンリコ・ダンドロである。六人の使節を引見した元首《ドージェ》は、使節たちの眼には、八十歳を越えていながら、また視力が非常に劣っている身ながら、思慮に富み、かつ大胆な行動力をも持ち合わせる人物に思われた。

「使節の方々、あなた方をわたしの許《もと》に派遣された、王冠をいただかないうちでは最も位の高い君侯方からの信任状を読みました。それには、あなた方が話し、決めることは、みな君侯方の御意向、御決意と同じと思ってくれと書いてあります。さて、あなた方はなにを望まれるのですかな」

「閣下、貴国の閣議を招集されるようお願いします。もしよければ、明日にでも。その席で、わたしどもの主人たちの意向を伝えましょう」

元首《ドージェ》は、明日は無理だが四日後には招集できるだろう、と答えた。

私には、この時からヴェネツィア側の心理作戦がはじまったように思われてならない。四日間とは、ヴェネツィア側での密議に必要であった期間ではなかったか。なぜなら、大事の際は、閣議《コンシーリオ》は、明日どころかその夜にでも招集されるのが常であったからだが、それを知らないフランス人たちは、その四日間を、一刻一刻を数える思いで待ったのである。

約束の当日、使節たちは、美しく豪華な元首官邸《パラッツォ・ドウカーレ》の内部に導かれた。閣議室には、元首《ドージェ》以下、共和国の内外政を司《つかさど》る全員が待っていて、使節の一行を迎えた。

「閣下、わたしどもは、フランスの最も権威ある諸侯から派遣されて参った者です。わたしどもの主君は、もしも神が望まれるならば、イエス・キリストに与えられた屈辱をそそぎ、イェルサレムを回復しようと十字架に誓いをたてられたのです。

そして、あなた方とあなた方の民ほどに海上で力を持つ者は他にいないことを承知のうえで、あなた方に、海の向うの地の再復とキリストに与えられた汚辱をそそぐことへの協力を願う者なのです」

ここで、元首《ドージェ》が質問した。

「いかなる方法で？」

使節たちは答えた。

「いかなる方法でも」

とは答えたが、フランス使節は、十字軍輸送用の船舶を求めているのである。もちろん、船を動かすのに必要な船乗りも漕《こ》ぎ手も、また、航海中の食糧までふくめた必要なものすべてだ。話を聴いた元首《ドージェ》は、こう言った。

「さてさて、まことに高貴な事業とはいえ、あなた方はわれわれに、大変な大事業を依頼してこられた。回答はこの同じ場所で、八日後にさせていただきましょう」

約束の八日後に、使節たちは再度、元首官邸を訪れた。

「使節の方々、あなた方の依頼を受けることに決めました。とはいえ、われわれのくだした決定を、共和国国会《グラン・コンシーリオ》と民会が認めてのうえのことですが」

元首《ドージェ》は、なおも続けた。

「われわれは、あなた方の示された数字にある、四千五百人の騎士と二万人の歩兵を輸送するに要する船と、四千五百頭の馬と九千人の従士馬丁を運搬できる平底船《ウシエレ》を提供しましょう。契約には、もちろん、これらの人間と馬が必要とする兵糧《ひょうろう》もふくまれています。

元首エンリコ・ダンドロに謁見する十字軍兵士（ギュスターヴ・ドレ画、19世紀）

これを、お安い値段で提供しましょう。馬は一頭につき、四マルク。人間は一人につき、二マルクになります。

契約上でのわれわれの義務は、これらを、十字軍がヴェネツィアの港を出発してから向う一年間保証することです。費用の合計は、八万五千マルクになります」

契約

まず、中世も現代と同じくドイツ・マルクが強かったのかと思われると困るので説明しておく。この場合のマルクは、ドイツの神聖ローマ帝国皇帝の貨幣であったマルク銀貨であって、これが当時、最も強かったわけではない。ただ、フランスとヴェネツィアという二国間の取引であるこの場合、フランス貨幣で払っても、ヴェネツィアのそれで払っても、他のどの国の貨幣で支払われてもかまわないのだが、その場合の価値の標準を決めるものとして、マルク銀貨を使ったまでなのだ。

また、ヴェネツィア側の要求額が高すぎたとする歴史家がいるが、これは、商人はあくどくもうける人種だ、という偏見に毒されているにすぎない。十年前にジェノヴァとフランス王フィリップ・オーギュストの間に交わされた契約では、二頭の馬と三

	フランス王 フィリップ・オーギュストと ジェノヴァ	フランス騎士たちと ヴェネツィア
騎士	650人	4,500人
従士馬丁	1,300	9,000
歩兵	0	20,000
馬	1,200頭	4,500頭

両軍軍勢の比較

人の人間を運び、八ヵ月間養うに要する費用として、九マルクが計上されている。ヴェネツィアの場合は、期間でも一年と長いうえに、フィリップ・オーギュストの場合が、六百五十人の騎士と千三百人の従士馬丁だけであったのに比べて、フランス騎士たちは、けた外れに多い人馬の輸送を依頼してきたのであった。

一見して明らかである。ジェノヴァは、船を新造する必要もなかったであろうが、ヴェネツィアは、商船に総動員をかけるだけでなく、馬を輸送するために特別に造られている平底船《ウシエレ》に至っては、大量に新造する必要があったにちがいない。

だから、決して高すぎる値ではない。貨幣価値の変動の少なかった時代にしても、ヴェネツィアの示した額が、当時の〝相場〟であったとする学者が多いのもこれによる。

契約によれば、兵糧は、馬は一頭につき、三モッジヨ（八ブッシェル）のカラス麦、人間のほうは、パン、粉、野菜、アンフォラ半分の葡萄酒が、一人につき支給される量であった。

騎士も馬丁も二マルクで同じあつかいなのを、どの歴史学者も問題にしていないのは、おそらく、騎士ともなれば自前の食糧なども買いこんで、別の食事を作らせるのが習いであったからだろう。

また、八万五千マルクは、四回の分割払いと決められた。一万五千マルクは八月中に、一万マルクは十一月一日までに、一万マルクは翌一二〇二年の二月中に、残りの五万マルクは四月中にということである。

ヴェネツィア側の義務は、すべての船と乗組員を一年後の一二〇二年の六月二十四日までに、ととのえることである。

フランスの使節たちは、満足を顔にあらわして、契約の細目の検討を終った。

だが、ここで、ヴェネツィアは、ピサやジェノヴァがしなかったことを提案したのである。

五十隻《せき》の武装ガレー船と、それに必要な乗組員戦闘員の六千人を元首《ドージェ》自らが率いて参加するから、その代りに、十字軍が征服した地の半分をもらいたい、というものであった。要するに、輸送を請負うだけでなく、共同出資者になりたいというわけである。

使節たちは、回答にはしばらくの猶予《ゆうよ》を願った。だが、その夜六人で話し合った時、結論は簡単にでた。予想もしていなかった有力な同盟を得たとして、フランスの騎士たちは、感激で興奮してしまったのである。元首《ドージェ》には、早速翌日に快諾が伝えられた。

ヴェネツィア側でも、元首《ドージェ》がただちに、四十人委員会を招集した。委員たちと元首《ドージェ》以下の閣僚との間で、どのような討議がなされたかは知ることができない。記録に残っていないからである。だが、元首《ドージェ》エンリコ・ダンドロもともに、彼らはみな商人であった。しかも、若い頃は、地中海をまたにかけて交易に従事した経験を持つ男ばかりである。八万五千マルクという金額が、当時のフランス王やイギリス王の年収の二倍に相当する大金であるのを知らないはずはない。いかに、王冠をいただく者に次ぐとされるシャンパーニュ伯やフランドル伯であっても、はたして払いきれる額と信じていたのであろうか。いずれにしても、ヴェネツィア共和国の国会は、元首《ドージェ》の提議したフランス諸侯との契約を承認したのであった。

数日後、使節ヴィラルドゥワンの言葉を借りれば、存在するかぎりの教会の中でも最も美しい教会、聖《サン》マルコ寺院とその前の広場に、一万人ものヴェネツィア市民を集めて、荘厳《そうごん》にミサが行われた。ミサが終った時、元首《ドージェ》から宿舎に待機していた使節たちのところに使いが送られ、市民たちに契約の承認を彼ら自身で願うように、と伝えがあった。使節たちは、人々の見守る中を寺院に入った。

シャンパーニュ伯の侍大将ヴィラルドゥワンは、使節を代表して、次のように述べた。

「市民諸君、最も高貴で権力を持つフランスの諸侯は、われわれ六人をこの地に派遣しました。あなた方に、異教徒の奴隷と化したイェルサレム奪還への協力を願うためにに。そして、われらとあなた方との同盟が、神の名によって、キリストに与えられた屈辱をそそぐためにです。

あなた方を選んだのは、ほかでもない。あなた方ほど強力な民は、他のどの海洋国家にもいないからです。諸侯は、われわれに命じました。あなた方の前にひざまずいて願えと。そして、あなた方が海の彼方《かなた》の地に慈悲を示されるまでは、起《た》ってはならないとも」

六人のフランス騎士は、いっせいにひざまずいた。みな、感涙にむせびながら。イギリス人らしく皮肉なギボンの筆にかかると、当時の騎士はやたらと感涙にむせぶ癖があったということになるが、感涙にむせばなかったのは元首《ドージェ》である。ひざまずくフランス騎士たちを見てしんと静まりかえった寺院の中に、次の一瞬、元首《ドージェ》の太い声がひびいた。

「同意しようではないか、諸君！」

これが、火点《ひつ》け役だった。さしもの広い寺院も、同意しよう、同意しよう、と叫ぶ群衆の歓声で破れるかと思われるほどであった。その歓声も静まった時、ヴィラルドゥワンの評価によれば、善良で思慮深く勇気もある元首《ドージェ》エンリコ・ダンドロは、群衆に向って次のように話しはじめた。

「市民諸君、神がどれほどの名誉を諸君に与えたかを考えてほしい。世界の最良の民は、他の誰をも選ばず、諸君との同盟を望んできたのだ。主イエスの解放という、たとえようもないほど高貴な事業を共にしようと」

ヴェネツィア国民の承認は取りつけた。あとは、契約の調印を済ませるだけである。十字軍のヴェネツィア出発は、翌一二〇二年の六月二十四日、聖ヨハネの祭日を期して行われることも決まった。

その日までに、巡礼者と呼ばれる十字軍参加者は、全員がヴェネツィアに集合すること。ヴェネツィア側は、船隊を出帆できるばかりに準備完了しておくことも確認された。署名を終わった契約を前にして、使節も元首《ドージェ》も、聖書に手を置いて、契約文は細目にわたるまで神に誓って遂行すると宣言した。

ここでもまた、フランスからの使者たちは感涙にむせんだ。早速、双方ともに条約調印をローマの法王に知らせる使いを送った。法王からは折り返し、それを満足に思う旨《むね》が伝えられた。

ところが、兵糧の細目にいたるまで明記されている契約書のどこにも、肝心な目的地を記した箇所がないのである。ヴィラルドゥワンによれば、エジプトのカイロというのは秘密にしておいて、ただ単に、海の彼方とだけ公表したというのだが、なぜ、秘密にしたのかは彼も書いていない。秘密にしておくのは、おそらく、敵に防衛の準備の時間を与えないようにと考えてであったろう。だが、この一事が、後に大きな意味を持ってくるのである。

調印を終えた使節は、ヴェネツィアの銀行から二千マルクを借り、分割払いの第一回分の一部の支払いを済ませた。そして、フランスへ発った。ミラノの近くまで来て、六人は二手に分かれた。フランスへ直行する二人と、他の四人は、ジェノヴァとピサへ寄って、〝海の彼方〟に着いた段階で、十字軍にどのような協力を得られるかを打診するためである。ジェノヴァとピサ行きは、なんの収穫も得られずに終った。

フランスへ直行した二人のうちの一人だったヴィラルドゥワンは、途中で、ブリエンヌ伯の一行と出会った。伯も、シャンパーニュ伯らとともに十字軍遠征を宣誓した一人である。だが、宣誓後にプーリア王のタンクレディの息女と結婚したので、その結婚によって得た領地権を確立するために、配下を従えて南イタリアへ向う途中だったのである。配下の騎士たちも、もちろん十字軍参加を誓った身である。

ヴィラルドゥワンは、ヴェネツィアとのいきさつを伯に話した。ブリエンヌ伯は非常に喜び、

「ごらんのとおり、われわれはすでに歩みはじめている。あなた方がヴェネツィアから出陣される時には、われらも馳《は》せ参じる態勢完了というところです」

しかし、ブリエンヌ伯とその配下の騎士たちは、プーリア地方の主におさまった後も、眼前の狭い海峡を通り過ぎる同僚の船隊に気づきながら、ついに姿を見せずに終る。

一方、使節たちがフランスへ発った後のヴェネツィアでは、国を挙げての準備がはじまっていた。二万人の人間と四千五百頭の馬、数々の攻城器に兵糧まで運べる船を用意するのは、大変な大事業である。地中海を航海中の全商船には、期日までにヴェネツィアへもどるよう命令が出され、アドリア海の東岸地方の各都市には、水夫の大量な募集が布告された。造船所は、フル回転しはじめる。とくに馬を輸送する平底船《ウシエレ》は、大量に新造する必要があった。少なくとも、四百隻の船を用意しなければならないのである。いかに海軍力では一番とされるヴェネツィア共和国でも、今度の事業ばかりは、国力を総動員しなければやれない事業であった。第四次十字軍は、ヴェネツィア人にとっては、国を挙げての〝投資〟を意味したのである。だからこそ、彼らは、契約の細部に至るまで、完璧《かんぺき》に遂行したのであった。

朗報を一刻も早く伝えようと、馬を乗り換え乗り換えしてフランスへ着いたヴィラルドゥワンは、重病の床にある主君を見出して愕然《がくぜん》とした。シャンパーニュ伯は、それでも、ヴェネツィアとのいきさつを聴いて非常に喜び、長い間馬にも乗らなかったから乗る練習をしなくてはと言い、馬を引いてこさせた。だが、そんなことがやれる状態ではない。ほんの少し馬にまたがっただけで、伯は再び床についてしまった。

シャンパーニュ伯の病状は、日を重ねるにつれて悪化していった。伯も、もはやこれまでと思ったのか、遺言状をしたためる。自分が遠征に行く際に持っていこうと思っていた財産を、十字軍参加を誓った配下の騎士たちに分け与えた。しかし、それには、神に誓って期日までにヴェネツィアへ行くという条件がついていた。遺産の一部は、遠征中に必要になった時の用意にと、ヴィラルドゥワンに託された。そして、若さを惜しまれながら死んだ。しかし、金をもらった騎士たちの多くは、それをふところにしたまま、ヴェネツィアにはついに姿を見せないで終る。

総大将を失った十字軍騎士たちには、誰か代りを務めてくれる人を探す必要があった。相談の末、ブルゴーニュ公に頼もうということになった。だが、使者を迎えたブルゴーニュ公は、総大将になるだけでなく、十字軍参加さえも拒絶する。それではと、亡くなったシャンパーニュ伯のいとこにあたるバル・ル・デュック伯に話をもっていったが、これも不成功に終った。シャンパーニュ伯亡き後の十字軍の重要人物であるフランドル伯、ブロア伯、サン・ポール伯らがソアソンに集って協議した結果、総大将を、イタリア人のモンフェラート侯ボニファチオに頼もうということに決まった。勇敢な武将であり、フランス王のいとこでもあるという理由による。モンフェラート侯は、快諾した。

フランスを訪れたモンフェラート侯は、いとこのフィリップ・オーギュストの宮廷で大歓迎を受けた後、ソアソンに到着した。町のノートル・ダム寺院で、十字軍遠征参加を誓った諸侯や騎士たちとともに、剣と十字架にかけて宣誓をするためである。侯に総指揮を願ってひざまずいた騎士たちは、またも感涙にむせぶのだった。儀式は終った。全員は、約束の日にヴェネツィアで会うことを誓って散会した。フランス各地では、ソアソンの宣誓を聞き伝えた騎士たちで、まだ十字軍に誓いをたてていなかった人々も、われもわれもと十字軍参加の名のりをあげるのだった。フランス騎士道の花が、こぞって海を渡るようだと言われたほどに。

ヴェネツィアへ

年も改まって一二〇二年、その年の復活祭は四月の十四日になる。気の早い者は、もうその頃から親族との涙の別れをはじめた。ゆっくりとしている者も、六月二日のペンテコステの祭日には、旅立ちの仕度もととのった。集合地のヴェネツィアへ向けて、フランスを通り、北イタリアを横断していく行程である。

同じ頃、自前の船隊をもっていたフランドル地方の騎士たちの何人かは、ジブラルタル海峡を越えて地中海に入り、ヴェネツィアへ海から着く道をとるために出発した。ブルージュの城代まで加わったこの一行は、主君フランドル伯の前で、ヴェネツィアでの合流を聖書に手を置いて誓った。伯も伯の弟アンリも、自分たちの荷の大部分を、海路を行くこれらの騎士たちに託した。フランドル伯自身は、大勢の騎士を従えて、陸路をヴェネツィアへ向う。

しかし、海路をとったフランドル隊は、いつまで待ってもヴェネツィアにはあらわれなかった。その後、ペロポネソス半島の南端のモドーネで落ち合うとの知らせがあったが、そこにも姿を見せなかった。どういうわけか、シリアへ直行したのである。シリアでは、イスラム教徒と少しばかり剣を合わせただけで、ある者は殺され、生き残った者も、故郷にたどり着くのがやっとというのが、彼らにとっての十字軍になった。

フランス騎士の中には、ヴェネツィアへ行かず、マルセーユから海路をとり、モドーネで合流すると誓って出発した者もいた。これらの人々も、モドーネには姿をあらわさなかった。彼らの運命は、フランドル隊とたいしてちがいのないものに終る。

仲間の離反を記述するヴィラルドゥワンの筆は悲しみに満ち、もうこういう者共のことは置いて、ヴェネツィアへ到着した十字軍戦士のことを述べるとしよう、という文で終っている。彼が善良と評したヴェネツィアの元首《ドージェ》エンリコ・ダンドロとはちがって、掛け値なしに善良な紳士であったらしいこのシャンパーニュ伯の侍大将は、結婚して領地を獲得してそこにそのまま居坐った者や、遺産を分配されたのにそれをふところにしたまま約束を守らなかった者、主君の荷を預けられながら約束の地に姿をあらわさなかった者など、勝手に単独行動をする騎士たちに絶望したのであろう。彼は、しばしば、人はそれぞれ神の定めたちがった道を歩むもの、という文で、記述を終えている。

ヴェネツィアには、約束の期日よりもよほど前に、もう一人の善良な紳士がすでに到着していた。フランドル伯ボードゥワンである。巡礼者と呼ばれる十字軍兵士も、期日が迫るに従って到着の数も増えていた。それにしても、あまりに数が少ない。すでに到着していた者の中から使いが選ばれて、ヴェネツィアへの道を来つつあるにちがいない遅参者を、せきたてに行かねばならないほどであった。

モンフェラート侯は、所用のために遅れて着くという通知があったのだが、ブロア伯が姿を見せない。使いの者がパヴィアまで行って、そこにゆったりと滞在している伯を見つけ、涙ながらの説得の末に、ようやくヴェネツィアへ連れてくる始末であった。ブロア伯ともなると、使いの者もそれ相当の地位の者でなければ説得できない。ヴィラルドゥワンとサン・ポール伯が、その任をおおせつかったのだった。

それにしても、ピアチェンツァからは、多くの騎士たちが、道を北にとらずに南へ向った。ある者はヴェネツィア人を信用しないと言い、他の者は、プーリア地方に領土を獲得した同胞を見習い、手近なところで一山あてようと思ってであった。もちろん、彼らの誰一人、後になってさえ十字軍に合流した者はいない。

このように離反者が数多く出たためもあって、ヴェネツィアに集合した十字軍兵士の数はひどく少なかった。フランスの諸侯が予定し、ヴェネツィア側に通告した数の三分の一にも達しない。およその数で、一万を数えるのみであったと言う。

ヴェネツィアの外港リドの聖《サン》ニコラ島にととのえられた宿舎に落ちついた十字軍兵士たちは、しかし、眼前に広がる景観に息をのんだ。ヴィラルドゥワンの言葉を借りれば、これほど見事な艦隊を見たキリスト教者は誰もいないであろう、というほどの数の帆船、ガレー船、平底船《ウシエレ》で港が埋まっていたからである。善良なヴィラルドゥワンは、嘆声をあげる。

「ああ、なんという無念であろう、他の地へ行ってしまった騎士たちのことを思うと。キリスト教徒は、これで異教徒を完全にたたきのめすことができたろうに。それが、ここにいるのは、この艦隊で運べる数のたった三分の一でしかない!」


ヴェネツィア側は、契約を完璧に果したのである。イストリアやダルマツィアから水夫を大量に募集したにせよ、全ヴェネツィア成年男子の半数が一年間の十字軍遠征に従軍するという挙国体制を敷きながらも、契約は守ったのであった。

守らなかったのは、フランスの騎士たちである。いかに理想に燃えていたとしても、王の年収の二倍にあたる八万五千マルクという金額、三万三千五百という従軍兵士の数は、なにを規準にして決めたのであろうか。フランス王が国内の戦いに徴用できる兵数が一万人前後であり、同じ王が十字軍で遠征する時に従えていった兵数が二千というのが現状であった。王に次ぐ地位の封建諸侯が複数で率いるとは言っても、三万を越える数字は、あまりにも楽観的な予想であったように思われる。

案の定、実際に来た数は一万。四回の分割払いも、最初の二回分の二万五千マルクの支払いが終っただけで、残る六万マルクは未払いであった。しかも、一人二マルクの費用も、持ち合わせもないままにヴェネツィアに来た者も多い。余裕のある諸侯や騎士が、代りに払ってやる始末であった。

それでも、なお足りない。ヴェネツィア側は、契約どおりの金額の支払いが終らないうちは、船を出さないと言ってきた。

ここで、後世の歴史家の中には、人数が三分の一だから経費のほうもまけてやるべきであった、と書く人がいるが、それは契約というものを知らない者の言うことである。払えなくて困惑していたにちがいない諸侯の誰一人、ヴェネツィアにまけてもらうよう交渉しよう、などと言いだした者はいなかった。ヴィラルドゥワンも、ヴェネツィアは守ったのに、守らなかったのは自分たちだから、と書いている。

それで、持ち合わせのある者は、それを全部提供することに決まった。それでもまだ足りない。ついに、フランドル伯が、持参の金銀器を出すと言いだした。他の諸侯も騎士たちも、伯にならうことになった。山と積まれた金銀器が、ヴェネツィア人に渡される。これで借金もだいぶ帳消しになったのだが、まだ三万四千マルク足りない。かといって、一般の巡礼兵士はもとより諸侯に至るまで、支払いにあてられるものは、もはやなにも持ち合わせていなかった。

しかし、フランス騎士道の花ともあろう身が、借金を払いきれなかったからといって、このまま十字軍を解散し故国に帰るのでは、会わせる顔がないというものである。ヴェネツィアの銀行から借りようにも、このような状態を見せた後では信用もしてくれず、貸し手は一人もいない。ヴェネツィア政府は、ただ静かに支払われるのを待っているだけである。六月二十四日に出発するどころの話ではなくなっていた。

リドの聖《サン》ニコラの島に閉じこめられた形の十字軍参加者の間には、いらだちとあせりが広がりはじめていた。諸侯や騎士はヴェネツィアの市内を訪問することはできたが、一般の兵士にはそれも許されていない。大軍を市中に入れないのは、治安と伝染病への予防対策として、当時では普通のことであったから苦情を言うわけにもいかない。出帆するばかりに準備のととのっている艦隊を眼の前にしながら、前にも進めず、かといって後にも退けない状態のままで、七月が過ぎていった。そして、八月もあと数日を残すという日、元首《ドージェ》エンリコ・ダンドロから十字軍の諸侯に対して、彼らが思ってもみなかった提案がなされたのである。

オリエントへ行く途中、ザーラを攻略するのに手を貸してくれれば、借金の返済期限を、それが可能な時まで延期する、というものである。

　ザーラは、アドリア海の東岸沿いにヴェネツィア人が建設した〝高速道路〟の、いわば要にあたる町であった。それが、ハンガリー王の扇動によって、ヴェネツィアに反旗をひるがえしたのである。ザーラを失うことは、ヴェネツィア共和国にとって、その〝高速道路〟を真中から切断されることを意味した。なんとしても、取りもどす必要があったのである。

　だが、この提案を受けた十字軍側は、少なからず困惑する。ザーラの民もキリスト教徒なら、その背後にあるハンガリー王もキリスト教徒なのだ。異教徒を攻める目的の十字軍が、同じキリスト教徒を攻めたのでは、申し開きができないというものである。ローマの法王はどう思うであろうかと考えただけで、状態が状態とはいえ、困り果ててしまったのであった。

　しかし、出口なしの現状は、なんとしても打開する必要があった。何日間も費やしての協議の結果、モンフェラート侯、フランドル伯、ブロア伯、サン・ポール伯らの有力諸侯が賛成側にまわったので、大勢は、ヴェネツィアの提案を受け容《い》れることに決まった。それでも、これに賛成しなかった一部の騎士たちは、分離行動をとることに決め、どこかの港で船を見つけ、シリアへ向うと言って去って行った。そのまま故郷へ帰る者もいた。一万人が、さらに減ったのである。

十字軍側の意見の調整がついたのを知った元首《ドージェ》は、ヴェネツィア側の従軍者全員とともに、十字架に誓いをたてた。彼らも、十字軍兵士となったのである。こちらのほうもヴェネツィアの名家の男たちがキラ星のごとく名をつらねていたから、フランス側に劣らぬ盛観であった。それに、帆船や平底船《ウシエレ》の乗組員も加えれば、ヴェネツィア側の参加者の数は、フランス側のそれとほとんど同じ数になるのである。

各諸侯各騎士に、乗船の船が割りあてられた。フランス側の総大将モンフェラート侯は、元首《ドージェ》エンリコ・ダンドロの乗る旗艦に乗船することになった。

人々の動きが、にわかにあわただしくなった。攻城器の積み込みや身のまわりの品をととのえたり、馬を乗船させたりすることで、九月はまたたくまに過ぎていった。

一二〇二年十月八日、待ちに待った出陣の日である。一面に港を埋めた大艦隊の盛観は、フランスの騎士たちに、出陣が予定よりも三ヵ月以上遅れたことなど忘れさせるに十分であった。

各船の甲板の上に並べられた、三百を数える攻城器の偉容。帆柱の上に秋風を受けてはためく、色とりどりの諸侯や騎士たちの旗印。船べりにずらりと並べられ陽を受けて輝く何千もの盾。その背後に立つ、槍を手にした騎士たちの雄姿。元首《ドージェ》とモンフェラート侯の乗船する旗艦のガレー船だけは、船体も櫂《かい》も緋色《ひいろ》に塗られ、帆柱には、緋色の地に金で聖《サン》マルコの獅子《しし》を刺繡《ししゅう》した、ヴェネツィア共和国の大国旗が秋風にひるがえる。

旗艦の船橋の上に並んだ四人のラッパ手が、銀のラッパを高々と鳴らしたのが合図だった。ガレー船の船腹からむかでの脚のように出ている櫂が、いっせいに水を切りはじめた。その後を、ガレー船に引かれた帆船がすべり出す。港の外に出た船から、次々と帆が張られ、たちまちいっぱいの風をはらんだ。ガレー船と帆船の引き綱が切られる。帆をあげたガレー船も、櫂を水鳥の翼のように水平に固定して、風にまかせる態勢をとった。大艦隊は、こうして、港で見守っていた群衆の前から、水平線の彼方に去って行った。

この艦隊を構成した船の数だが、諸説が入り混じって、はっきりしたことはわからない。目撃者であるヴィラルドゥワンは、素晴らしい、前代未聞だ、と書いているだけで、数字は書いてくれていない。ギボンが引用したラヌージオの記録によれば、

ガレー船――五十隻
帆船――二百四十隻
平底船《ウシエレ》――百二十隻
輸送船――七十隻
合計、四百八十隻

となるが、これは、各船の収容員数から計算してもあまりに多すぎる。おそらくこの数字は、三万五千の十字軍にヴェネツィア側の六千を予定し、六月二十四日の約束の期日までに、ヴェネツィアが準備した船の数であろう。実際は、この時代直後の各年代記にあらわれる数字を検討して、

ガレー船――五十隻
帆船――ほぼ同数
平底船《ウシエレ》――八十隻
輸送船――二十隻
合計、二百隻

というところであろう。なにしろ、ヴェネツィア側の人員に動きはなかったが、フランス側は、三分の一に減ったのだから。

それにしても、十三世紀初頭、二百隻の船が一堂に会するのは例のないことであった。四百年後のレパントの海戦でさえ、キリスト教側、イスラム教側がそれぞれ用意した船の数が、双方とも、二百隻を少し上まわっただけである。

ヴェネツィアを出た艦隊は、航路を東南にとり、イストリア半島のポーラへ向う。ポーラは、オリエント航路のヴェネツィア船隊が、長い航海に先だって、水や食糧を積みこむのが慣例になっている港であった。艦隊はそこに、一日停泊する。

だが、この日から十一月十日までのほぼ一ヵ月間、艦隊の行動を記した記録がないのである。ヴィラルドゥワンの年代記は、ヴェネツィア出帆からすぐにザーラ到着にとんでいる。艦隊はその一ヵ月間、いったい何をしていたのであろうか。

ここで、ヴェネツィアに好意を持たない歴史学者たちは、次のような推論を下す。

「アドリア海に不案内なフランス人をいいことに、ヴェネツィア人が、時をかせぐためにに、勝手知ったるアドリア海をあちこち連れまわしたのだ」

一方、ヴェネツィアに悪意を持たない歴史学者は、こう言って反駁する。

「イストリアやダルマツィア地方の港で食糧を積みこんだり、漕《こ》ぎ手などの水夫を乗船させていくのは、ヴェネツィア船の慣例である」

たしかに、後者の言には一理ある。とくに、六月末の出帆予定で招集していた水夫たちとて、出帆が三ヵ月以上も遅れたのだから、その間に家に帰ってしまった者も多かったろう。それを再び呼び戻して乗船させるのだから、常よりも時間がかかったとて無理はない。なにしろ、通常のオリエント行きとはちがうのである。勤務期間も一年と長いうえに、まずもって戦いをしに行くのだ。人選も、より厳密にせざるをえなかったにちがいない。

十一月十日、艦隊はザーラの前の海上に姿をあらわした。船から眺めるザーラの街をとり囲む城壁はひどく高く堅固に見え、海に面した都市を知らないフランス人たちは、

「こんな守りの固い都市を、神が自ら手をくだされないかぎり、どうやって攻略できるのであろう」

と、不安におちいるのであった。ヴェネツィアも海に面した都だが、あそこは第一

話で書いたように、海の水が城壁だから、中世都市の城壁のようなものはないのである。だから、陸路をヴェネツィアまで来たフランス人が、最初に見た海に面した都市が、ザーラであったのだ。

フランス人の嘆声にはかかわらずに、元首《ドージェ》は、まず港の入口をふさいでいる鉄鎖を切らせ、ザーラの住民に降伏を要求した。だが、住民は、城壁の上に十字架や教会の旗などをかかげて、同じキリスト教徒を攻める十字軍など聞いたこともない、と言ってゆずらない。

十字架を見てひるんだフランス人をせきたてるようにして、平底船《ウシエレ》から馬が連れ出され、兵士が天幕を張ったりして、陸側からの攻城の準備が完了した。海側は港に入ったガレー船隊で封鎖済みだ。

翌十一日に開始された戦いは、三日後に大勢が決し、五日目にはザーラは陥落した。元首《ドージェ》は、海に面した側の城壁を破壊させ、ザーラの住民は、これまでと同じようにヴェネツィアに恭順を誓った。

しかし、このザーラ攻略の報を受けたローマの法王は激怒し、十字軍全員を破門に処すと通告してきたのである。あわてたフランス人たちは、ローマへ特使を送り、これまでのいきさつを法王に説明して、破門の解除を願う。法王も、フランス騎士たちのやむをえない事情を了解して、彼らの破門だけは解くことにした。しかし、ヴェネツィア人に対する破門処置は、そのままにすえおかれた。ヴェネツィア人のほうは、破門されても平然としていて、法王への弁解の使者も送ろうとはしなかったのである。

だいたいからして、キリスト教徒は破門された者とは付き合ってはならないというところに破門の効力があるのだが、破門された者とされない者が行動をともにする、という、奇妙な十字軍になったのであった。

だが、いよいよこれで異教徒征伐に向えると思っていたフランス人の気負いは、元首《ドージェ》の静かな口調によって冷水を浴びせられてしまう。冬期の航海は危険だから、来年の復活祭までは、このザーラに留まったほうが安全だ、というのである。地中海域を交易する商船隊も、冬の航海は避け、十一月から翌年の三月までは、母国へもどって船の修理などして過ごすのが常であった。フランス人も、海の専門家たちの言とあっては従うしかない。異教徒征伐行は、翌年の春まで持ちこすと決まった。

十二月も中半近くになったある日、ザーラで冬越しをしていた十字軍の許《もと》を、フランス人から見るとはなはだエキゾチックな人物が訪れた。東ローマ帝国、つまりビザンチン帝国の皇子アレクシスである。ドイツの王、シュワーベンのフィリップの紹介状持参で、ドイツ人の供を従えていた。

皇子アレクシスの父は皇帝であったのに、弟に位を奪われたうえ、両眼をえぐりぬかれて牢《ろう》に入れられていた。アレクシスも捕えられて牢に繋《つな》がれていたのだが、脱獄に成功し、商船にもぐりこんで、イタリアのアンコーナの港に逃げることができた。そこからアルプスを越えて、ドイツのフィリップ王を頼って行ったのである。皇子の姉は、はじめシチリアのノルマン王に嫁ぎ、その王が死んだ後に、ドイツのフィリップ王の妃になっていた。王とビザンチン皇女の結婚は、政略結婚の多かった当時の王侯には珍しく、愛で結ばれたものであったので、フィリップ王は、妃の喜ぶことならなんでもする気でいた。亡命の若い皇子は、この義兄に暖かく迎えられる。それだけでなく、フィリップ王は、義弟の願いが実現されるよう、あらゆる努力を惜しまないと約束したのだった。

皇子アレクシスは、十字軍の首脳陣の前で、涙ながらに嘆願した。行き先をコンスタンティノープルに変えて、ビザンチン帝国の首都を攻略し、非道な叔父を破滅させ、正統な帝位継承者である自分が、帝位につけるよう助けてほしいと頼んだのである。そして、その成功の暁には、代償として、皇子は、次の条件を示した。

第一に、二十万マルクを支払うこと。

第二に、エジプト攻略のために、一年間、一万の兵を、全費用持ちで提供すること。またその兵は、皇子か、でなければ相応の武将に率いさせること。

第三に、皇子が帝位にある限り、五百の騎士を聖地警護のために提供すること。

第四に、ギリシア正教会を、ローマン・カトリック教会の許に統合すること。

一同は声もなかった。まったく寝耳に水の思いであったのは、フランス人であったにちがいない。皇子の出現までは、ヴィラルドゥワンは、そのような気配があるとも書いていないから、彼は、まったくこのことを知らなかったのであろう。そして、彼のような立場の者が知らなかったということは、フランスの諸侯や騎士の誰一人として、知らなかったということになる。

しかし、一人だけ、ほぼ確実に皇子の提案が寝耳に水でなかった人物がいる。十字軍の総大将モンフェラート侯であった。侯は、シャンパーニュ伯亡き後に総大将に選ばれた時、ソアソンで十字架に宣誓をした後、ドイツのフィリップ王の許に立ち寄っている。同じ時期、皇子アレクシスもそこにいた。この三者の間で密議がなされたことは、十分に想像可能だ。そして、その時に、モンフェラート侯率いる十字軍の行き先を、エジプトのカイロからビザンチンのコンスタンティノープルに変える可能性も、その代償とする条件とともに、討議されたにちがいない。

実際、皇子の提案に真先に賛成したのが、モンフェラート侯であった。それも、ただ単に賛成の意を表するのではなく、提案を受け容れた場合の利点を次々とあげて、気も動転しているフランス諸侯の説得まで、積極的に買ってでたのである。

二十万マルクあれば、ヴェネツィアへの借金も返せるうえに、支払いによって貧しくなった十字軍自体も豊かになれる。

コンスタンティノープル攻略後のエジプト遠征にも、向う払いの一万の兵が加われば、こちらの兵と合わせて、兵力は格段に強化されることになる。

聖地警護に提供される五百騎は、従士らを加えて、実戦力は千五百ということになり、パレスティーナのキリスト教徒たちには、大きな側面援護になるであろう。

そして、代々のローマ法王が望んで果せなかった、ローマン・カトリック教会とギリシア正教会の再統合は、法王イノチェンツォ三世に、またとない貢献をすることになるはずである。

フランスの騎士たちは、おおいに迷った。ザーラを攻略したのにさえ心が咎《とが》めているというのに、コンスタンティノープルは、ビザンチン帝国の首都であり、ギリシア正教会とはいえ、キリスト教徒の都である。しかも、当時の世界では最大の都だ。

だが、彼らを最も魅惑したのは、皇子アレクシスの出した条件のうちの最後の項であった。もちろん、第一も第二も第三のそれも、十分に魅力はあったが、なによりも、代々の法王が望んで果さなかった東西の教会の再統合を、自分たちが成し遂げる、という思いは、信仰心では他に遅れをとらないことで自らを持してきたフランス人の心を、ことのほか、強くゆさぶったのである。フランスの諸侯や騎士たちは、傍《はた》で見ていても気の毒になるほど思い悩んだのであった。

思い悩まなかったのは、ヴェネツィア共和国の元首《ドージェ》エンリコ・ダンドロである。元首《ドージェ》は、明確に、賛成の意を表した。

現実主義者のダンドロは、皇子アレクシスの出した条件の実現の可能性を、それほど信じてはいなかったであろう。実現すれば良し、実現しなくてもそれはそれで良し、という程度に考えていたにちがいない。元首《ドージェ》の関心は、もっぱら、コンスタンティノープルを攻略し、ビザンチン帝国の帝位に、ヴェネツィアに好意を持たざるをえないような人物をすえることにあった。

実際、エジプトを攻めて、ヴェネツィアが得る利益はほとんどなかった。エジプトとヴェネツィアは通商を通じての関係は常に良く、とくにビザンチンの皇帝がヴェネツィア商人を排撃し、ピサ商人をそれに代えようと策しだした時から、ヴェネツィアのオリエントとの交易の中心地は、コンスタンティノープルからエジプトのアレクサンドリアに移っていたくらいであった。

法王イノチェンツォ三世が、イタリアの海洋国家に、異教徒エジプトとの通商を禁止したことがある。その時、ヴェネツィアは、自分たちは通商することによって生きているのだから、この禁令はヴェネツィア人に死ねということだ、と言って抗議した。法王も、それは認めざるをえなかったので、木材、鉄、亜麻、タール以外の品、つまり軍需物資以外の品ならば交易してもよろしい、ということになった。五年前の話である。

それ以前でも同じで、第三次十字軍当時、エジプトから出発したサラディン率いるイスラム教徒軍と、西欧から遠征したキリスト教徒軍が、パレスティーナで激戦を交わしている最中でも、アレクサンドリアとヴェネツィアの間には、商船隊の往復が絶えたことはなかったのである。

ヴェネツィア共和国は、政経分離を認め、それを受け容れてくれる国とは、可能なかぎりそのやり方を続けるよう努めた。しかし、それを認めない国に対しては、経済を守るために政治を使うことに、少しも迷いを持たなかった。ヴェネツィアにとっては、シリアも、エジプトと同じような関係を持てる国であった。

ちがったのは、ザーラのヴェネツィアからの離反を後援したハンガリー王国と、そして、ここ二、三十年、これまでの親ヴェネツィア政策を変えはじめたビザンチン帝国である。しかも、この二国間は、ハンガリー王女がビザンチン皇帝に嫁いだりして、縁戚関係でも近くなっていた。両国は、国境も接している。当時のヴェネツィア人は、同じキリスト教徒との関係よりも、異教徒との関係のほうが上手《うま》くいっているという、皮肉な状態にあったのである。

だが、

「まずヴェネツィア国民、次いでキリスト教者」

というモットーを残したくらいのヴェネツィア人である。通商関係が良好であればそれでよいので、相手が異教徒であろうと、そんなことを思い悩む〝良心〟は持ち合わせていなかった。

ザーラは、再び彼らのものになった。コンスタンティノープルもその例にならうとなれば、彼らの〝投資〟も、それこそ完全に生きてくるのである。

はじめに立てた計画を着実に実行するだけならば、特別な才能は必要ではない。だが、予定していなかった事態に直面させられた時、それを十二分に活用するには、特別に優れた能力を必要とする。元首《ドージェ》エンリコ・ダンドロは、この時だけでなく、以後もずっと終始一貫して、統治者としては絶対に必要なこの才能に恵まれた人物であることを、示し続けるのである。

コンスタンティノープル

良心的に思い悩むフランス人の間では、目的地をコンスタンティノープルに変えるかどうかで生じた対立が、険悪な様相を呈していた。諸侯や騎士たちだけが分裂したのではない。同行していた聖職者の間でも、この問題をめぐって激論が交わされる。同じシトー派の修道院から来ている僧同士が、互いにちがう立場に立って言い争う光景も見られた。

しかし、十字軍の首脳陣である、モンフェラート侯、フランドル伯、ブロア伯、サン・ポール伯が賛成側にまわったことで、大勢は決まった。大部分の者は、コンスタンティノープル攻略に行くことになったのである。

だが、どうしてもこれ以上、キリスト教徒を攻めることに耐えられない人々がいた。彼らのうち、五百人ほどは、港に停泊しているヴェネツィアの船を奪い、自分たちだけでエジプトへ渡ろうと企てた。しかし、船を動かしてきたのはヴェネツィア人である。ザーラを出ていくらも航海しないうちに、冬の荒れる海にもてあそばれ、ついに沈没して一人も助からなかった。

陸路を聖地までたどり着こうとした人々もいた。しかし、この人々も、ザーラを出てハンガリー王の領内に入ったとたん、ハンガリー兵に追いまくられ、幸いに助かった者も、ザーラにもどってくるしかなかった。

もちろん、ヴェネツィア側には、一人の離反者も出ていない。

十字軍と皇子アレクシスは、ドイツのフィリップ王特使を証人にして、契約の調印を終えた。しかし、十字軍側からは、どうしても十二人以上の署名を得ることができなかった。モンフェラート侯、フランドル伯、ブロア伯、サン・ポール伯に元首《ドージェ》ダンドロが署名した後に続いたのは、六人だけであった。あとの人々は、コンスタンティノープル攻めには同意したが、署名まではする気になれなかったのである。
行き先変更の知らせを受けたローマ法王は、今度もまた激怒した。だが、歴代の法王中最高の権力を持ったと言われるイノチェンツォ三世も、この第四次十字軍には、いつも既成事実をつきつけられ、その事後承認を迫られるかたちになっていた。そして、野心的な法王にとっては、自分の治世の間に、ローマ法王を中心とする東西の教会の統合が実現するかもしれないという想いは、心地良い夢でもあったのである。法王の態度はザーラ攻略の時よりも、ずっと明確でなかった。

翌一二〇三年の四月六日、復活祭を期して、艦隊はザーラを出発した。まずはじめに、帆船や平底船《ウシエレ》が次々と港を後にし、翌日、風に左右されることが少ないために航海の予定のたてやすい、ガレー船団が出港して行った。次の集合地は、コルフ島の港である。種々の船で構成される艦隊は、船足の差を考えに入れて、こうして、全行程中何箇所かに集合地を決め、そこで全船の到着を待って、また再び、次の集合地へ向って、船団ごとに出港するのが普通であった。
元首《ドージェ》、モンフェラート侯、皇子アレクシスを乗せたガレー船団は、風に恵まれて、アドリア海を順調に南下し、コルフ島にはあと二日の行程というところで、ドゥラッツォに立ち寄った。ドゥラッツォは、ヴェネツィアの友好港ではあるが、ここからはビザンチン帝国がはじまるのである。皇子アレクシスを正統の皇位継承者として、住民に恭順を誓わせるためであった。それを終えて後、ガレー船団も、コルフに向う。

コルフの港には、先発の船団がすでに到着していた。平底船《ウシエレ》からは馬が引き出され、騎士たちも、それぞれの天幕を張って休息している。気候は温暖で土地は豊かで、波打ちぎわまで繁っている糸杉の濃い緑が、ヨーロッパの北から来たフランス人たちに、のどかな安らぎを与えていた。

十字軍は、このギリシアでの最初の島に、三週間滞在する。皇子に住民の恭順を誓わせるためというのが表向きの理由であったが、実際は、眼と鼻の先の距離にあるプーリア地方に向った、離反組の合流を待ち望んでのことであった。しかし、対岸にいるフランス人たちは、領地を獲得するのに熱中してしまったのか、コルフにいる仲間たちにはなんの連絡もよこさなかった。もはやこれまでと思ったのか、フランスの騎士たちも、コルフ出発に同意する。

五月二十四日、例によって帆船を先に立てて、全艦隊はコルフを出発した。天気はすばらしく、空気はあくまでも澄み、風は甘く軽ろやかで、全船は帆をいっぱいに張り、水を切ってひた走る。肉眼で見るかぎりの海上は、水平線まで帆で埋まり、フランス人たちは、これほど美しい光景は見たことがないと感激するのだった。彼らは、沈んでいた心も忘れて陽気になった。

艦隊は、ペロポネソス半島にそって南下する。半島の南端モドーネの港に立ち寄った後、今度は航路を東にとった。そして、ペロポネソス半島の南をまわってエーゲ海に入ろうとする時、狭い海峡で、マルセーユから乗船し、シリアへ勝手に向った二隻の船とすれちがった。シリアでなにもできずに帰る騎士たちを乗せた船である。

双方が近づいた時に、フランドル伯が、向うの船には誰が健在なのかをたずねた使いを送ったが、こちらの船団の偉容の前に恥じたのか、答は返ってこなかった。ただ、向うの船に乗っていた騎士の一人が、どうしてもこちらに乗り移りたいと希望し、この騎士がこちらの船に上がってきた時は、大歓声で迎えられた。そして、二隻の船は西に向って去って行った。

十字軍艦隊は、小麦の収穫期にあたっていたこともあって、途中の島々に立ち寄り、兵糧の供給などし、清らかな水で有名なアンドロス島では、水を貯めこんだりした。そして、ダーダネルス海峡を通り、マルモラ海を進み、コンスタンティノープルを眼の前にしたのは、六月も半ばを過ぎていた。

今、はじめて眼の前にするコンスタンティノープルの偉観は、この都市をそれまでに一度も訪れたことのなかったフランス人たちを圧倒した。街をぐるりと囲む城壁の高さ。その要所要所にそびえ立つ堅固な塔の偉容。城壁を越えて見える、数えようもないほど多数の宮殿や寺院の豪華さ。フランス人たちは、位の高い者も低い者も一様に、このすばらしい眺めを前にして震え、世界最大の都を攻撃しようとしている自分たちの大胆さに怖れおののくのだった。

近くの島に上陸した十字軍の首脳陣は、そこで作戦会議を開いた。元首《ドージェ》エンリコ・ダンドロは言う。

「諸侯方、わたしはこの都を、あなた方よりは良く知っている。ここを何度か訪れたことがあるからです。

あなた方は、今までにどの民族もかつて試みようとしなかった大事業を為そうとされている。だからこそ、賢明に効率的に行わねばなりません。

もしも陸地から攻めるならば、国土は広大で住民も多いために、少数でしかも兵糧のとぼしいわれわれは、食糧を探してあちこちに分散し、小人数になったところを狙われて滅ぼされてしまうであろう。われわれの軍は、すでに少ない兵しか持っていない。いかなる理由でも、これ以上一兵も失うわけにはいきません。

この近くには、多くの島がある。豊かで、兵糧を確保するに適している。ここで兵糧を十分に貯え、その後で神がわれわれにせよと命じられる行為をしようではないか。食糧の豊かな武士は、豊かでない者より、より勇敢に戦うものです」

作戦会議は、ひとまずこれで解散することになり、諸侯は自分たちの船にもどって行った。

翌六月二十四日、十字軍側は一兵卒に至るまで、持参の武器の手入れに忙しかった。南風を利用して、艦隊がコンスタンティノープルの城壁の前をデモンストレーションした時には、彼らの前日の恐怖は消え、城壁の上に鈴生《すずな》りになって艦隊を見物する住民の数の多さに驚きながらも、前代未聞の大事業を行うという気分が全軍にゆきわたり、誰もが勇気にふるい立ったのであった。

だが、フランス人たちは、元首《ドージェ》の忠告を聴く気になれなかったのか、勢いを駆って、ボスフォロス海峡の東岸に上陸してしまった。そして、そこにある皇帝の宮殿を占拠し、居坐ってしまう。食糧を心配することなど、武士のやることではないと思ったのかもしれない。彼らが宮殿で、ビザンチン帝国皇帝の豪奢《ごうしゃ》を満喫している間、ヴェネツィア人のほうは、予定どおり兵糧の確保に忙しかった。九日間が過ぎる。

一方、ビザンチン帝国は、どのような防衛策を講じていたのであろうか。自分たちの首都が攻撃の対象と決められてから、すでに半年以上が経過していたのだ。防衛策を講じる時間的余裕は、十分にあったはずである。

ところが、まったく不可思議にも、なにひとつまともな対策を立てていなかったのである。ビザンチン側の年代記によれば、船は二十隻も集められればよいほうで、兵力も、故国をノルマン人に征服されて傭兵《ようへい》化していたサクソン人を主体とする軍だけが頼りであった。数世紀もの間、何度も攻撃されながら一度も陥ちたことのなかった都ということで、安心しきっていたのである。まして、大軍とはお世辞にも言えない十字軍など軽蔑《けいべつ》してしまい、それに対する防衛など、まじめに考える気にもなれなかったのだ。皇帝のやったことといえば、ヴェネツィア人居住区を焼き払い、居住民を殺害したことだけであった。

スクタリの宮殿にいる十字軍の首脳の許に、甥の皇子と同じ名の皇帝アレクシス三世は、ギリシア語もラテン語も知らない野蛮人の群れと見たのか、フランス語を話す使節を派遣し、高飛車な調子で、十字軍とは同じキリスト教徒であるビザンチン帝国領侵入を非難させた。

フランス人も、こうなると負けてはいない。自分たちは、非道なやり方で帝位を奪った現皇帝を排除し、正統な皇帝を位につけるのを助けに来たのだ、と言い返した。そして、もう二度と来ることはない、と言って、使いを追い払ってしまう。もはや、戦いが待っているだけだった。しかし、元首《ドージェ》の提言によって、一度だけ、平和裡の解決策を試してみることになった。

旗艦のガレー船に、十字軍の首脳に囲まれて、皇帝衣をまとった皇子アレクシスが乗船し、城壁の上に群がるコンスタンティノープルの市民の前に姿をあらわす。紫衣をまとった皇子を見て、皇帝に反対する市民たちが、なんらかの反応を示すのを期待してであった。だが、皇子を示し、正統な皇位継承者だと伝えても、市民たちの反応は意外なほどに冷たく、城門は閉じられたままだった。

七月十一日、ボスフォロス海峡の西岸に位置する、ガラタへの攻撃の日である。空は晴れわたり、ガラタの岸ぞいに陣を張ったビザンチン軍の様子が、その真中にしつらえられた皇帝の座所まで、対岸からは手にとるように眺められた。

船上に整列したフランスの騎馬隊も、頭から足の先まで完全武装に身をこらし、かぶとには、色とりどりの羽根が、折からの微風を受けてそよぐ。馬も、地面までとどく豪華な馬衣をつけて、すぐにも引き出せるように、馬丁が一人ずつそばに従う。

船隊は、ガレー船の間に帆船と平底船《ウシエレ》がはさまれるような形になるように組まれていた。船と船の間は太いロープで繋がれる。こうして、船が離ればなれにならないようにして、ボスフォロス海峡を渡るのである。ボスフォロス海峡は、黒海からの潮の流れが速いので有名で、風がなくても白波が立つほどであった。

船隊がガラタの岸に着くのを待ちきれず、騎士たちは、腰までとどく水の中にとびこんだ。平底船《ウシエレ》から、馬が引き出される。騎士たちは、大槍を手にそれにとび乗った。さすがにこうなると、騎士道の本家をもって認ずるフランス人である。迎え撃って出たギリシア軍を、たちまち蹴散《けち》らしてしまった。十字軍の歩兵たちも、弓を手に、逃げる敵兵を狙い撃つ。ビザンチン軍はもはや、浮足立ってしまう。皇帝も、押される自軍を見るや、座所の天幕もそのままに、ガラタの丘をくだって金角湾を渡り、コンスタンティノープルの中に逃げこんでしまった。

ガラタは、コンスタンティノープルとちがって、ボスフォロス海峡側と金角湾の両側から、丘に登るような傾斜になっている。その一番高い戦略要地に、現在は「ジェノヴァ人の塔」と呼ばれる城塞《じょうさい》がある。ガラタは、だから、平坦な地形に慣れたフランスの騎士には、それほど有利な環境ではなかったのである。フランス人たちも、久しぶりに大地に立ち、馬を駆ることができて勇気百倍の思いであったろうが、ビザンチン軍のほうが、抵抗らしい抵抗をしなかったのであった。

比較的手強《てごわ》い抵抗を試みたのは、ガラタの塔にこもった防衛軍であった。彼らはギリシア兵ではなく、ヨーロッパから来た傭兵たちであった。だが、それも、翌朝、全員を捕虜にして片がついた。

一方、騎士や歩兵をガラタに上陸させた後のヴェネツィア軍は、金角湾の入口をふさいでいる、太い鉄の鎖を切る作業にとりかかっていた。追い風を待って、平底船《ウシエレ》の中で最大の「鷲《アクイラ》」が、帆をいっぱいに張って鎖に突進した。「鷲《アクイラ》」の後には、ガレー船、帆船、貨物船が密集して続く。鎖は切られ、金角湾の中にいたギリシアの船は、一団となって突入してきたヴェネツィア船団によって、次々と船腹を破られ、沈没してしまった。金角湾も、ガラタと同様に、十字軍の手に陥ちたのである。いよいよこれで、本格的な攻撃が開始できることになった。

コンスタンティノープル攻城戦

十字軍側では、早速、作戦会議が開かれた。ヴェネツィアは、金角湾側からの攻撃を主張する。理由は、次の三つである。

一、金角湾側の城壁は、他の二方に比べて低く、塔も堅固ではない。

二、海側からの攻撃は常法でないので、防衛軍もそれに応じて、手薄な防衛しかしていない。

三、風と潮流から船を守ることができ、ガレー船の機動力を十分に発揮できる。

事実、海に面した都市の攻撃は、陸側から行われるのが普通で、攻撃側の船隊は、兵を上陸させた後は、港の入口を押えて海上封鎖をするのが、主な任務であった。だから、街をめぐる城壁は、陸側が最も堅固に出来ており、海に面する部分は、城壁の高さもより低く、厚さもより薄いのが普通であった。

海側の城壁が、ほとんど波打ちぎわから直立してそびえているか、でなければ金角湾の場合のように、船着場に使われる岸壁に立っているのに比べて、陸側は、当然のことながら、平らな地表に立っている。火薬を詰めた砲丸の実用化にはいまだ道遠しであった当時では、城壁の破壊は、もっぱら、石の弾丸を撃って破壊するか、それとも城壁下に掘った穴に火薬を詰め、それを爆発させて破壊するかしかなかった。それゆえ、城壁の下に穴を掘る作業の困難な海側と、容易な陸側とでは、城壁の造りでも差をつける必要があったのである。コンスタンティノープルも、例外ではなかった。

しかし、フランス人たちは、断じて海側からの攻撃に反対した。陸地からやる、と言うのである。理由は、自分たちはヴェネツィア人のような、「船乗りの足」を持っていないから、船上で戦うなんて真平御免、というわけであった。元首《ドージェ》ダンドロも、フランス人のこの気持はわからないでもなかったので、ここは、強いて海側からの攻撃説を通そうとはしなかった。

こうして、コンスタンティノープルの第一次攻城戦は、ヴェネツィア軍は金角湾か

コンスタンティノープル付近略図

ら、フランス軍は陸側からと、二手に分れて行うことに決まった。

数日後、金角湾の奥までヴェネツィアの船に送られ、そこから陸地に上陸したフランス軍は、まず、一昼夜かかって、ギリシア人によって破壊された川にかかる橋を修復した後、あらかじめ決めてあった戦列に従って、城壁前に布陣を終った。

前衛は、フランドル伯、第二隊は、伯の弟のアンリ公、第三隊は、サン・ポール伯がそれぞれ率いる。第四隊は、ブロア伯、第五隊は、モンモラシー公、第六隊は、ブルゴーニュ地方の騎士たちで構成され、後衛は、イタリア人やドイツ人、それに南仏からの参加者も加えた混成部隊で、モンフェラート侯が指揮することになっていた。

フランス軍が陣を布《し》いたのは、皇帝の宮殿に近い箇所の城壁で、攻撃する城門は、数あるもののうち、たった一つである。布陣を終るまで、城内からはただの一兵も撃って出なかった。これは、攻撃側にとっては、大きな幸いであった。なにしろ、攻撃側の一兵に対し、城内にはその二百倍の人間がいたのだから。

しかし、宿営地を造りはじめる頃になって、ギリシア軍が攻撃をしかけてきた。フランス人たちには、その日から、武装を解く間もなく、また眠る時間もない日々がはじまったのである。兵糧を調達に出かけるどころではなかった。フランス人たちは、ヴェネツィア人が持ってきてくれる食糧が少ないと、苦情を言いはじめる。後年、ギボンから、ヴェネツィア人がケチだったのか、それともフランス人が大食すぎたのか、と皮肉られる状態になってしまったのだ。戦意は、落ちる一方だった。

片やヴェネツィア軍は、よほど合理的に戦いを進めていた。城壁の上から投げてくる「ギリシア火焔薬《かえん》」によって船が燃えあがらないように、船橋も甲板の上も、帆柱の上にしつらえられた檣楼《しょうろう》まで、水でぬらした厚地の布や動物の皮でおおわれた。

帆は、帆船のそれもたたまれて、下甲板にしまわれる。帆船や平底船《ウシエレ》は、櫂を漕いで進むガレー船の間にはさまれるような陣型のまま、舵を、ガレー船に合わせてとればよい。だが、舵取りは、このような場合だけに非常な熟練を要した。ほんの小さな油断で、船隊を、城壁下の岸壁にぶつけてしまうことになるからである。船と船の間は太いロープでつながれていたから、一隻の舵取りの犯す過《あやま》ちは、横に一列に並んだ船全体の生命につながっていた。

ヴェネツィア軍には、また、新兵器も加わっていた。二本の帆柱の檣楼を伝わって、一枚の板が渡され、とくに船首の方向に、船と同じかそれ以上の長さで延びているものである。これは、「動く橋」と呼ばれ、優に二人は並んで戦える幅を持っていた。この「動く橋」を伝わって、同じぐらいの高さで眼前に迫る、塔にとび移る目的で作られた兵器である。

もちろん、先端にひっかかりのついた綱ばしごや、城門を太い槌《つち》で壊す破壊車、石投器や、釘があらゆる面についた四角の木のかたまりを投げる弩弓《いしゆみ》など、伝統的な攻城器もそなえられ、十分な働きをしていたが、「動く橋」は、やはり、「船乗りの足」を持つ、ヴェネツィア人ならではの兵器であった。船上から援護射撃をしている間に、城壁にとび移るこの〝兵器〟は、コンスタンティノープル攻防戦の間中、しばしば戦いの様相を決する働きをする。

もともと人口の少ない国であるだけに、ヴェネツィア軍は、彼らの合理的なものの考え方もあって、機械化が進んでいた。一方、遠からん者は音にも聴け、式な闘い方を好み、騎士と騎士が全力を出して戦うところにこそ騎士道がある、と信じているフランス人のほうは、通常の攻城器は持ち合わせていても、コンスタンティノープルの攻撃に適した機械化には、まったく熱心ではなかった。そのためもあって、非常な苦戦を強いられていた。

城壁下に穴を掘ろうにも、ギリシア軍の絶え間のない妨害に、それもなかなかはかどらない。食糧も、小麦粉とソーセージだけになった。生肉などは、死んだ馬のそれしかない。もちろん、葡萄酒などは夢である。攻城器を組立てるのにさえ、囲みをまず作って、その周囲に四六時中見張りをつけ、そしてようやく囲みの中で作業ができる始末

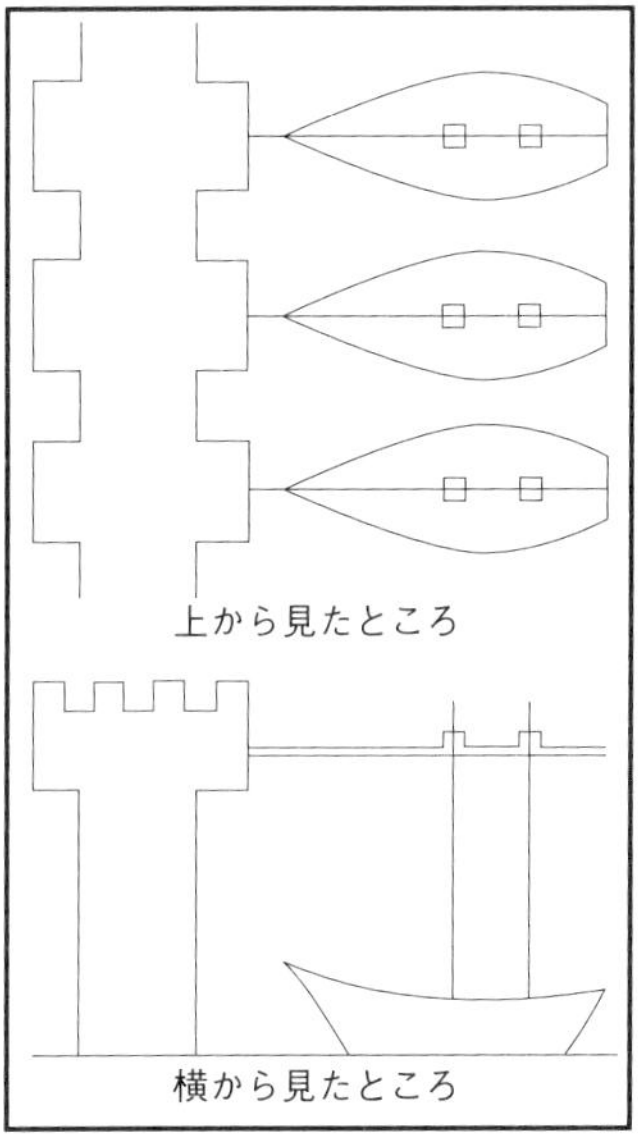

「動く橋」

であった。ギリシア軍の中では、とくに、皇帝親衛隊のサクソン人の傭兵が手強い敵であった。

金角湾では、ヴェネツィア船が、岸壁にぶつからないように要心して舵を取りながら、それでもなるべく城壁に近づけようと努力していた。城壁上に陣取った敵からは、矢が雨あられと降ってくる。味方も、檣楼や「動く橋」から応戦する。

その間、元首《ドージェ》エンリコ・ダンドロは、全身くまなく武装し、旗艦のガレー船の船首に、緋色の聖《サン》マルコの獅子の大国旗をかたわらに持たせて、身動きもしないで立ちつくしていた。

ガレー船が岸壁に接するかしないかという時だった。大声で、自分を岸に降ろせ、降ろさない者は厳罰に処す、と命じた。旗艦にいた人々は、元首《ドージェ》の命令に従うしかない。八十歳を越え、半ば盲目の元首《ドージェ》が、大国旗をかたわらに岸壁に降り立ったのには、ヴェネツィア人は誰もかれも、自らの勇気の足りなさを恥じ、先を争って上陸しはじめた。そして、ちょうどその時、「動く橋」から城壁上にとび移るのに成功した者によって、城壁の上にも、緋色のヴェネツィア旗が高々とひるがえったのである。

戦いは、これによって峠を越した。浮足だった防衛軍を押しつぶす勢いで、ヴェネツィア兵が殺到する。たちまち、二十五の塔が、ヴェネツィア人によって占拠された。金角湾沿いの城壁の主要な部分が、これで、ヴェネツィア軍の手に陥ちたことになる。元首《ドージェ》は、この吉報をただちにフランス陣営に知らせた。だが、フランス人にはどうしてもそれが信じられない。元首《ドージェ》は、ではと、捕獲したギリシアの馬衣をつけた馬をフランス陣営に送りつけたので、フランス人も、ようやくこの吉報を信じる気になれたのであった。

皇帝アレクシス三世は、金角湾側の城壁が破られ、ヴェネツィア軍が市内になだれこんだのを知って、その辺りの家々に火を点けるよう命じた。折からの北風にあおられて、火はまたたく間に広がり、煙が、ヴェネツィア軍とギリシア軍の間に煙幕を張る。

そうしておいて、皇帝は、市内にいる全軍に、陸側の三つの城門から、城外に出るよう命じた。皇帝も、自ら出陣する。

フランス軍のその日の見張り番は、フランドル伯の弟アンリ公の率いる第二隊である。アンリ公は、続々と城外に出てくる敵の大軍を見て、急ぎ本営に知らせた。知らせを受けたフランス軍は、武器を取り馬を引かせ、防衛柵《さく》の前に、あらかじめ決めてあった戦列で布陣する。各隊とも、前列には弓と石弓をかまえた歩兵、そのすぐ後に騎馬隊、最後列には従士と馬丁という配列で陣につく。全軍中二百ほどの馬を失った騎士たちで構成された突撃隊は、中央に配置された。この配列が七隊になるのだから、フランス軍の布陣は、横に広いというよりも、縦に長い陣型になる。一方、ビザンチン軍は、横にはよほど広いうえに、縦でも、フランス軍の十倍はあった。フランス軍も、これでは正面からの攻撃しかできない。

この陣型のままで、両軍は睨《にら》み合った。皇帝は、白馬に乗って、布陣した自軍の前を通り過ぎる。フランス兵が矢を射れば、とどくかもしれないと思わせるほどの近さであった。ビザンチン軍は、ゆっくりと前進を開始した。

フランス軍、ギリシア大軍と対峙《たいじ》の報を受けた元首《ドージェ》は迷わなかった。ただちに、全ヴェネツィア兵に、占拠地の放棄を命ずる。そして、これら金角湾側の攻撃に参加していた全軍を率いて駆けつけた。

前進しはじめていたビザンチン軍は、地からわいたようにフランス軍の左右にあらわれたヴェネツィア軍に、一瞬たじろいだようであった。ほんの少しの間に、敵が二

「コンスタンティノープルの攻防」(1500年頃の作品)

倍になっていたからである。彼らは、前と同じようにゆっくりと、まるで睨みをきかせでもするかのようにしながら、動きを右に変えた。退却である。

フランス人には、まったく信じられない光景であった。数では圧倒的に優勢な敵が、開かれた城門の中に消えていくのだから。われにもどった騎士たちが、何人か、退く皇帝に迫ろうとしたが、これは、皇帝を囲むようにして退却していく親衛隊に、問題なく蹴散らされてしまった。

その夜、フランス人たちは、

一戦も交わさなかったのにひどく疲労し、正体もなく眠りこんでいた。ところが、その間に、これまた信じられないようなことが起っていたのである。

皇帝が、最愛の皇女一人だけを連れ、持てるだけの貴金属を持って、小アジアに逃げてしまったのであった。総大将がいなくなっては、ビザンチン側もどうしようもない。兵士たちは戦う気を失い、将軍たちの命令を聴こうともしなかった。大臣たちは、盲目の前皇帝を牢から連れ出して、玉座につけることで一致する。こうすれば、十字軍も攻撃の理由がなくなると見てであった。この〝奇跡〟に狂喜したフランス人たちは、早速、陣を解いた。ヴェネツィア軍も、宿営地に引きあげる。皇子アレクシスも、十字軍の要求どおり、十字軍の全諸侯も列席する中で、父と同格の皇帝として戴冠《たいかん》した。

即位した後も、新皇帝アレクシス四世は、ガラタに宿営するフランスの諸侯の許をしばしば訪問した。フランス人たちは、単なる友好の訪問と思っていたが、何度目かの時に、新皇帝は次のことを切りだした。

皇帝の座を確実にするために、十字軍に、もうしばらくコンスタンティノープルに留まってもらえないか。九月三十日で切れるヴェネツィアとの一年契約をもう一年延長し、それに要する費用は帝国が支払うことにする。コンスタンティノープルに留まるのは、翌年の復活祭まででよい。あとは、エジプトなりシリアなり、十字軍の決めた地へ遠征に出発されてけっこうである。

十字軍の陣営は、大変な混乱におちいっていた。騎士道精神に忠実にとでも思ったのか、はやばやと、エジプトのスルタンの許に挑戦状を送りつけた騎士もいたから、またも半年遠征が延期されるのは我慢がならないと言うのである。彼らは、口々に抗議した。

「われわれに約束したように船をくれ。シリアへ行くための船を、われわれに与えるのはあなた方の義務である」

しかし、皇帝の提案を受け容れるのに賛成な者もいた。皇帝がまだ約束の金《かね》を支払っていないから、ヴェネツィアとの契約が切れた後の船隊を傭《やと》う費用がない。そのうえ、これから出発するのでは、シリアでもエジプトでも、着く頃には冬に入ってしまう。冬期に、見知らぬ土地に遠征するのは危険である、との理由だった。モンフェラート侯以下十字軍の首脳陣は、全員がこの考えであった。

元首《ドージエ》エンリコ・ダンドロは、もちろん賛成である。それどころか、首脳陣に説得されて考えを変えた騎士たちは、ヴェネツィアによって、金で買収されたのだと噂《うわさ》された。

このようにしてまで十字軍は約束を果したのに、皇帝アレクシス四世のほうが、ザーラで調印した契約の一つだに果さない。いや、果そうと努力はしたのだが、事情がなかなかそれを許さなかったと言うべきかもしれない。とくに、契約の中の第一と第四が、困難をきわめた。

皇帝即位の暁には二十万マルクを支払うというのは、ビザンチン帝国の国庫が、歴代の皇帝の放漫財政によってほとんど空の状態にあって、とても国庫から出せる額ではなかった。それで新皇帝は、国民に新税を課すことにした。これは、当然、国民の不満をかき立てる原因になる。

第四項の、東西教会の統合に至っては、不可能なことははじめからはっきりしていた。ギリシア正教会は、ローマン・カトリック教会の許での統合を、断固として拒絶したのである。ギリシア正教徒は正（オーソドックス）とつけるくらいだから、西の教会に対して優越感を持っている。ローマの教会のほうが、彼らにしてみれば異端なのだ。その許にくだって一緒になるなど、とんでもないことであった。

一般庶民と聖職階級は、こうして、ラテン人に対しての敵意で一致したのである。皇帝アレクシス四世も、以前のように、しばしばラテン人の陣営を訪問するようなことをしなくなった。

そうこうするうちに、冬を迎える。なにもすることがないフランス人たちは、ガラタの宿営地を出て、金角湾を渡り、コンスタンティノープルの市内見物に出かけることが多かった。彼らは、寺院や宮殿の豪華さに眼を見張り、市内にあふれる富の莫大《ばくだい》なことに驚くのだった。バザールに並べられた品物の豊富さは、それをはじめて見る者を興奮させた。

しかし、フランス人の中には、狂信的なキリスト教徒もいる。そして、当時のフランス人は、コンスタンティノープルのような国際都市には不慣れであった。キリスト教国ではあっても、コンスタンティノープルには、交易に来るヴェネツィアやジェノヴァの人々のためにカトリック教会があるのと同じ理由で、イスラム教徒のためにもイスラム教寺院があったのである。それに、フランス兵が火を点けたのであった。

火を点けられたのは、モスクだけではない。ユダヤ教のシナゴーグも焼打ちを免れなかった。またたく間に広がった火の手は、「ラテン区」と呼ばれた西欧人の居住区までなめつくし、打つ手もないまま、八日間も燃え続けた。

この火災の後、住民と十字軍との間は、火災の責任を転嫁《てんか》し合うことによってますます険悪化し、「ラテン区」に住んでいた人々は、もうコンスタンティノープルの中に住める状態ではなくなり、ガラタの十字軍の許に避難してきた。女も子供もともに、その数は一万五千人にも達した。

十字軍側とて、皇帝がいっこうに契約を守ろうとしないのに腹を立てていた。何度も支払いの催促の使者が行っても、言を左右にされて、少額の返済金が渡されるだけである。それも、ついにゼロになり、いかなる者もビザンチン皇帝の前で、このような礼を失した態度は取らなかった、などと怒鳴られ、追い返される始末だった。あちこちで、十字軍兵士とギリシア兵との衝突が起るようになった。双方の敵意が一刻ごとに増すような状態の中で、一二〇四年を迎える。

一月、誰もが寝静まった深夜、金角湾のガラタ寄りに停泊していたヴェネツィア艦隊の見張りが、突然大声をあげた。金角湾の奥から、火につつまれた船が何隻も、艦隊めがけて流れてくるのである。これに突入されたら、かたまって停泊している船は一度に燃えあがる。
とび起きたヴェネツィア人は、すぐさま船にとび乗り、鉤《かぎ》のついた長い棒で、近づいてくる火を噴く船を遠くへ押しやる作業をはじめた。燃えあがる船からは、火の粉が飛んでくる。しかし、誰もが無言で、この困難な作業を続けた。炎に照らされた彼らの顔にも胸にも、流れ落ちる汗があった。

火のかたまりとなった船を潮流にのせ、それが港の外へ流れていくのを見定めて、作業はようやく終った。焼け落ちながら流れていく船は、十七隻を数えた。

皇帝の命令で行われたのかどうかは知らない。だが、ビザンチン帝国の誰かが、それも多くの人間が、船に燃えやすいものを満載して火を点け、帆まで張って、十字軍艦隊がかたまって停泊している方角に流したのであった。艦隊の焼打ちを狙ってである。幸いにして、ヴェネツィア人の機敏な処置によって、損害は三隻にとどまった。そのうちの一隻は、積荷を満載したピサの商船であった。

十字軍側もビザンチン側も、この事故の後、戦いは避けられないという気持になっていた。ギリシア人たちは、もはや公然と防衛の準備をはじめる。一方、十字軍の兵士たちも、従軍の聖職者までが、ギリシア人の裏切りを怒って、戦うことで一致していた。

しかし、契約を果さないとか、敵対行為を仕掛けてくるとかの理由だけでは、十字軍である以上、そうそう簡単に、同じキリスト教徒であるビザンチン帝国の皇帝を攻めるわけにはいかない。そうこうするうちに、ビザンチン側が、十字軍にとってはまことに都合の良い大義名分を与えてくれることになった。

二月、抗戦派の首領であり、先帝の婿《むこ》であるモルゾフレが、深夜、寝ている皇帝を襲い、首を絞めて殺し、自分で皇帝即位の宣言をしたのである。父の皇帝も、数日後に、原因不明の死に方をした。

殺人を犯した者となれば、たとえキリスト教徒であっても許すわけにはいかない。コンスタンティノープル攻略の、立派な理由もできたことになる。ローマの法王もこれは認め許すであろう、という僧たちの言葉は、フランス騎士たちの最後のためらいをも吹きとばしてしまった。

三月、戦いに入る前に、あらかじめ征服後の処置を決めておくための、首脳会議が開かれた。そして、次のことが決まった。

一、新皇帝は、十字軍側六人、ヴェネツィア側六人の選挙人によって選ぶこととする。総主教《パトリアルカ》は、皇帝を出さなかった側から任命する。

二、領土は、コンスタンティノープルの四分の一と帝国領の四分の一が、新皇帝のものとなり、残りは、十字軍とヴェネツィアで折半する。

三、戦利品も、四分の一を皇帝になる者のために取っておき、残りを、十字軍とヴェネツィアで折半する。

元首《ドージェ》は、これに、全帝国領内では、ヴェネツィアが敵対関係にあると認めた国の商人は、商業にたずさわることを許さない、という項目を加えることを要求した。元首《ドージェ》の要求は容れられた。

四月六日、第二次コンスタンティノープル攻城戦のはじまりである。

第一次の時に、陸側から攻めて苦戦したので、フランス人も今度は、ヴェネツィア人の忠告を容れて、金角湾側からの攻撃に主力をそそぐことに同意した。陸側は、アンリ公率いる第二隊を、監視として配する程度にした。

しかし、今回は、ギリシア側も慣れている。金角湾側の城壁を一段と高くなるように補強し、「動く橋」が近づいてきても、それが平行でなく一段と低いところにくるようにしてしまった。これなら、とび移るのもむずかしくなる。そうしておいて、塔の上を防衛する兵の数も増やしたのだ。

石投器で石弾を連射しておいて敵をひるませ、そのすきに「動く橋」から塔にとび移って塔を占拠する、というヴェネツィアの戦法も、これではだいぶ効力が殺《そ》がれる。十字軍は、戦況に苦しまざるをえなかった。犠牲者の数も、ギリシア側よりも多く、防衛軍の士気が高まるのと反比例して、攻撃側の士気は落ちるばかりだった。

ひとまず後退して、ガラタの陣営にもどった十字軍は、作戦会議を開いた。再び陸側からの攻撃に変えることは、兵の数からしても問題にもできない。フランス人たちは、そこで、同じ海側から攻めるのなら、マルモラ海側から攻めてはどうだろう、あそこなら城壁も低く、防衛も手薄だ、と言った。

だが、これは、元首《ドージェ》に一蹴《いっしゅう》される。とんでもない、マルモラ海側は、ボスフォロス海峡からの潮流と風をまともに受けるところだ。船と船をつなぐロープはたちまち引きちぎられ、船は、かたまって攻撃するどころか、離ればなれになって流されてしまうであろう。少数の兵でコンスタンティノープルを攻撃するのは、金角湾側しかない。これが、元首《ドージェ》の反対の理由である。

フランス人たちも、これには納得するしかなかったので、再度、金角湾側から試みることになった。

しかし、ヴェネツィア人は戦法を変える。それまでは、一つの塔に一隻の船を割りあてていたのを、二隻にしたのである。こうすれば、「動く橋」と塔の間の高さの差はそのまま残っても、塔を守る兵に対して、攻める側の人数は二倍に増えることになる。そして、可能なかぎり船を城壁に近づけるには、それに都合の良い風が、しかも強く吹いてくれなければならなかった。

十二日、待ちに待ったトラモンターナ（北風）が吹きはじめた。

ガレー船で大型の平底船《ウシエレ》をはさむようにして、互いにロープでつなぎあった船列は、城壁に接近する。防衛軍も必死だ。城壁の上から、雨のように矢を射ってくる。船上の攻撃軍は、石投器で石弾を絶え間なく撃ち、防衛側もまた、矢で応酬する。激戦が、しばらく続いた。

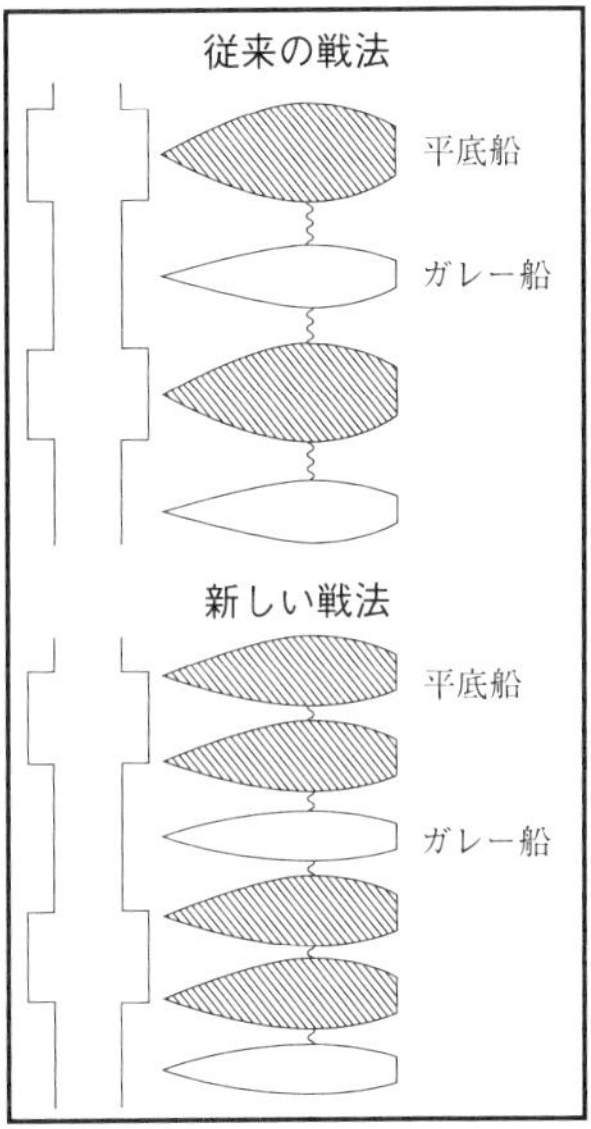

しかし、正午近く、最も大きな平底船《ウシエレ》の「巡礼《ペレグリーノ》」と

「天国」が、城壁すれすれに接近した時、フランス兵一人とヴェネツィア兵一人が、ついに塔にとび移ることに成功したのである。十字軍旗とヴェネツィア国旗が、塔の上にひるがえった。船上の攻撃軍から、大喊声《かんせい》がわき起る。二人の先陣に遅れをとるまいと、攻撃軍はわれ先にと、「動く橋」から塔に、なだれをうって殺到した。たちまち、四つの塔が、攻撃軍の手中に落ちた。

これを見た他の兵たちも、船から岸壁にとび降り、綱ばしごを城壁にかけて登りはじめた。城壁の内側の守備兵を蹴散らすのは簡単だった。城門が内側から開けられる。馬に乗った騎士たちが、そこから市内になだれこむ。城壁近くに紫色の天幕を張って防衛軍を指揮していた皇帝は、それを見て、附近に火を放つことを命じて宮殿の中に退却してしまった。

夜のとばりが降りてきた。疲労で倒れそうな兵たちを見て、本格的な市内戦は明朝、ということに決まった。そして、ヴェネツィア兵は船にもどり、フランス兵は、占拠した城壁の近くで野営することになる。城壁の上には、もちろん守備兵を配置する。フランドル伯は、皇帝の逃げた後の天幕に休むことになった。

ところが、その夜更《よふ》け、皇位簒奪者のモルゾフレは、妻を連れて城門を抜け出し、舅《しゅうと》の逃げた先に自分も逃げだしてしまったのである。ギリシア軍は動揺した。先皇帝のもう一人の婿ラスカリスが、いかに熱弁をふるっても、もはや戦いを続ける気を失っていた。ラスカリスも、これでは打つ手がない。彼もまた妻を連れ、ギリシア正教会の総主教とともに、コンスタンティノープルを捨てて亡命したのである。

翌朝、本格的な市街戦をするつもりで城内に乱入した十字軍は、抵抗らしい抵抗も受けず、皇帝の宮殿の中には、先皇帝の妃たちと、それに従う女官の群れが残されているだけだった。

十字軍は、当時の戦いの習慣に従って、部下の兵士たちに、三日間の略奪を許した。

落城

コンスタンティノープル落城後の情景は、他の都市のそれとたいしてちがいはない。ちがったのは、コンスタンティノープルの富が、その質と量において、同時代の他の都市とは比べようもなかったということだけだ。それは、異教徒を攻めにエジプトへ行くとかシリアへ行くとか言い張っていた騎士たちに、その彼らの良心を忘れさせるに十分であった。

教会も宮殿も、略奪者の土足に荒らされなかったところはない。聖《サンタ》ソフィア大寺院の豪華な掛幕は、そのふち飾りが金であったというだけで、ずたずたに切り裂かれた。教会の聖具室は、嵐にでも襲われたように荒らされ、ミサに用いる金銀の杯は、酔払いの手から手へ、葡萄酒をこぼしながらまわされる。すでに、三回の大火で、その大部分を焼失した貴重な古代の写本は、価値もわからないフランス人やフランドル人によって、燃えあがる火の中に投げ込まれた。古代ギリシアや古代ローマ時代の見事な彫像は、それが持ち帰れないという理由だけで破壊された。

かまえの少しは立派な家は、略奪者の侵入を防ぐ道がなかった。金銀貨はもとより、銀器から絨毯《じゆうたん》、ビロードやブロケードの高価な服、絹や羅紗《らしや》の布地からエルメリーノをはじめとする毛皮。奪われた品や破壊された芸術品の記述は、ややもすれば筆の鈍る勝利者側のヴィラルドゥワンよりも、敗者側のニケタスの筆によるしかない。

この混乱の中では、ビザンチン帝国の大臣であり、この攻城戦のギリシア側の証人であるニケタス自身も、単なる観察者でいられるはずがなかった。

彼は、邸宅が二度目の火災で焼かれた後、家族や友人とともに、聖ソフィア寺院近くのもう一つの持家に避難していた。そこが比較的にしても安全であったのは、知り合いのヴェネツィア商人が、十字軍の武装で守ってくれていたからである。しかし、情況は切迫していた。彼には、年頃の娘がいたのだ。召使いも逃げてしまったので、自分たちで少しの荷をかつぎながら、大臣とその一家は、ヴェネツィア人の友人に守られて、寒さも厳しい夜更け、コンスタンティノープルを後にした。

難攻不落とされ、九百年もの間、東方キリスト教世界の首都であったコンスタンティノープルは陥落した。破壊を免れた芸術品は、それを見る眼を持っていたヴェネツィア人に奪われ、ヴェネツィアへ持ち帰られたがために助かったのである。今もヴェネツィアの聖《サン》マルコ寺院の正面を飾るブロンズの四頭の馬は、はじめ、ローマのネロ皇帝の凱旋門《がいせんもん》上を飾っていたのだが、コンスタンティノープルへ持ってこられて、その競技場の門を飾っていたのだった。現在、ビザンチン文明を知るに最も適した場所は、世界のどこでもなく、ヴェネツィアである。

聖遺物とされる数々の聖者の遺骨、キリストの架けられた十字架の木片、誰かをつないだ鎖の切れはしなどもほんとうはいかがわしいものであったが、聖遺物信仰の強いヴェネツィア人やフランス人には、魅力ある獲物であった。もちろん、ごっそり奪われた。

他に、暴行された者、殺され傷つけられた者の数は、おおよその数にしても誰にもわからない。家を焼かれ、身ぐるみはがれて教会の石の床にうずくまる人々は、祭壇に坐って、裸身に近い格好で、淫《みだ》らなフランス俗謡を歌う娼婦と、そのまわりを酔っ払って騒ぐ西欧の人々を、どのような気持で眺めたことだろう。いかに、落城後の惨状は、いつでもどこでも、似たようなものであるとは言っても。

四日目の朝、十字軍総大将モンフェラート侯の名で、何びとであろうとも戦利品の私有はならない、戦利品は一箇所に集めて、その後それぞれの主君を通じて分配するから、すべて供出すること、という命令がだされた。命令に従わない者は、死刑に処す、とある。事実、サン・ポール伯は、略奪品を隠そうとした配下の騎士一人を首つりの刑にしたほどだが、おそらく多くの兵が、隠すのに成功したにちがいない。それでも、兵たちの持ち寄った品や金貨は、指定された三つの教会の中を満たすに十分だった。

まず、現金だが、これも規定どおり、全体の四分の一にあたる額が新皇帝のために取っておかれ、その残額を十字軍側とヴェネツィア側で二分の一ずつ分配した。

十字軍側は、分配された中から、ヴェネツィアに、五万マルクを支払う。ヴェネツィア出港当時の借金三万四千マルクに、コンスタンティノープル到着後にアレクシス四世が約束を遂行しなかったので、その間十字軍を養うためにヴェネツィアが立てかえた額を加えて、五万マルクになるのだった。

こうしてヴェネツィアに全借金を払っても、まだ十字軍の諸侯の許には、十万マルク残っていたという。他に、金銀器や宝石、毛皮や高価な布地などを加えて、戦利品の総額は、四十万マルクに達したといわれた。

値段のつけようもない芸術品や聖遺物は、この中にふくまれていない。これらの品は、価値のわかる人が持ち帰る結果になった。価値のわかる人に見出される幸運に恵まれなかった品は、ただ破壊する喜びを味わいたい者の手で打ち壊された。

ラテン帝国

ビザンチン帝国でなくラテン帝国と名を変えた以上、ラテン人の皇帝を選出する必要があった。あらかじめ協定してあったように、十字軍側の六人、ヴェネツィア側の六人が集って、投票によって選出する。

当初、最も呼び声の高かったのは、その沈着さと豪胆で、全兵士の尊敬を一身に集めていた、元首《ドージェ》エンリコ・ダンドロであった。だが、元首《ドージェ》は、自らの高齢を理由に、候補にあげられることさえも拒絶する。

しかし、元首《ドージェ》の辞退の真の理由は、別のところにあった。この老人は、ヴェネツィアの一市民である自分が皇帝になることによって、母国ヴェネツィアの、共和国としての制度にひびが入るのを怖れたからであった。彼がしたことは、すべて母国ヴェネツィアのためを思ってやったことである。そのヴェネツィアを根底からゆさぶることになるかもしれない、共和国制度に杭を打ちこむような行為は、彼にはやる理由がなかったのである。

元首《ドージェ》エンリコ・ダンドロを除けば、ラテン帝国の初代皇帝として最も自然な候補は、十字軍の総大将であったことからも、モンフェラート侯になる。侯自身も、自分が選ばれるのを予想し、選挙人の心理に影響を与えようと思ったのか、落城直後に、皇帝イザキウスの妃でハンガリー王の妹でもある人と、はやばやと結婚までしていた。

しかし、ヴェネツィア側が、侯が皇帝になることを望まなかった。北イタリアのモンフェラートの領主として、すぐ隣りのジェノヴァとは親密な関係にあることは知られていたし、また、アドリア海に野心をいだくハンガリー王と縁戚関係の出来た者を、コンスタンティノープルの主《あるじ》にするのは、ヴェネツィアにとっては喜べることではなかった。ヴェネツィア側は秘かに、フランドル伯に白羽の矢を立てる。

候補になりそうな者は選挙人からはずされたので、フランス側の六人はみな聖職者、ヴェネツィアの六人は、ダンドロ家以外の有力者階級から出ることになった。

新皇帝は、予想に反して、たいした時間もかけずに選出された。フランドル伯ボードゥワンである。ヴェネツィア側の六人が、一致して伯に票を投じ、十字軍側からもフランドルの代表が票を入れたので、過半数に達するのは簡単であったからだった。

ラテン帝国初代皇帝は、聖ソフィア寺院で戴冠した。冠をかぶせたのは、これまた新しく選ばれた総主教、ヴェネツィア人のトマソ・モロシーニである。モンフェラート侯以下、フランスの諸侯や騎士の全員が、臣下として、皇帝に忠誠を誓った。

帝国領の八分の三を与えられ、これをまた各諸侯、各騎士の間で分割されたわけだが、封建制度に慣れた彼らは、四分の一の領土しか持っていない皇帝を主権者と認め、それに忠誠を誓うのに、なんの抵抗も感じなかった。

しかし、ヴェネツィア共和国は、抵抗を感じるとか感じないとかよりも、有利と思わなかったので、同じく八分の三の領土権を得ていながら、元首《ドージェ》エンリコ・ダンドロだけは、皇帝に忠誠を誓わなかった。そして、フランス人たちも、ヴェネツィア人のそのやり方に、別に抗議もしなかったから、ヴェネツィアだけは、獲得した領土の、実質的にも形式上でも、主権者となったのである。

元首《ドージェ》は、つまりヴェネツィア共和国の首長は、これ以後、これまでの「ヴェネツィア共和国元首《ドージェ》」「ダルマツィア公爵」に加えて"Signore di un quarto e mezzo dell' impero romano di oriente"「東ローマ帝国の八分の三の主権者」という名称も持つことになった。そのうえ、皇帝の補佐役の中に、かならずヴェネツィア人も加わることが決められた。

これだけではない。ヴェネツィアは、帝国領内では、ヴェネツィアが敵対関係にあるとした国の商人は、商業にたずさわることができない、という項を、攻城前の協約に入れさせたことによって、事実上、ジェノヴァをはじめとするライヴァルを閉め出すことにも成功したのである。

これらをも終えて、翌一二〇五年、元首《ドージェ》エンリコ・ダンドロは、故国に帰ることもなく、コンスタンティノープルで死んだ。

フランス側の記録でも、総大将はモンフェラート侯であったが、軍の頭脳は元首《ドージェ》であった、と書かれたほどのこの男は、聖ソフィア寺院の中の、何ひとつ飾りもない石棺に葬《ほうむ》られた。石棺にはただ、エンリコ・ダンドロ、とだけ、ラテン書式で彫られてあった。現在でも見ることができる。

ダンドロの墓は、一四五三年にコンスタンティノープルが、オスマン・トルコの手に落ちた後も、その同じ場所にあった。遺骨が故国へもどったのは、次のような事情による。

一四七九年、スルタン・マホメッド二世は、ヴェネツィアへ使いを送り、優秀な肖像画家を送ってくれるよう、ヴェネツィア共和国政府に依頼した。共和国は、ジェンティーレ・ベッリーニを選び、彼に共和国の公用画家の地位を与えてコンスタンティノープルへ送る。一四八〇年十一月二十五日と記した、今ではロンドンのナショナル・ギャラリーにあるマホメッド二世の有名な肖像画は、この機会に描かれたものである。

コンスタンティノープルに滞在中、ベッリーニは、共和国政府の意を受けてか、ダンドロの遺骨をヴェネツィアへ持ち帰らせてほしいと、マホメッド二世に頼んだ。ベッリーニ描く肖像画にひどく感心していたスルタンは、画家の願いを喜んで聞きとどける。そして、遺骨だけでなく、棺の中にあった、かぶと、胸甲、剣、拍車まで、故国へ持って帰るようにと与えたのであった。

エンリコ・ダンドロの名は、ヴェネツィアだけでなく、西欧の人々の心の中にものちのちまで残っていたらしい。アレクサンドル・デュマは、『三銃士』の中で、アトスの血筋を示すのに、ダンドロの血を引く者、としたくらいだ。

ヴェネツィアが得た〝リターン〟

しかし、元首《ドージェ》エンリコ・ダンドロが打ち立てた最も輝かしい記念碑は、ヴェネツィアと東地中海の商業要地すべての間を、連鎖式につないだ〝高速道路〟を完成させたことだろう。それは、あまりにも賢明に堅実に保たれたがために、ヴェネツィアのライヴァル・ナンバー・ワンであったジェノヴァでさえ、半世紀が経った後にようやく、失地挽回《ばんかい》に乗りだすことができたくらいであった。

ヴェネツィアは、帝国領の八分の三を獲得できる権利を得たが、領土領有は封建諸侯であるフランス人たちにまかせ、自分たちは、商業的にも軍事的にも重要と考えた拠点だけを所有することで良しとしたのである。これは、人口の少ないヴェネツィアにとっては賢明なやり方であった。彼らは、自分たちの力で可能なことしか試みなかったのだ。これらの基地以外は、内陸部の領有には興味も示さなかった。

コンスタンティノープルでさえ、金角湾ぞいで皇宮に近い、船着場として適している一帯と聖ソフィア寺院のまわりだけを、ヴェネツィア人居住区として所有したのである。自然、ヴェネツィア領は、面でもなく線でもなく、散らばった点となった。しかも、その点でさえ、領有権があっても保持するには力が足りないとわかれば、いさぎよく放棄した。ヴェネツィアの友好都市であるという保証だけ取りつければ、そのほうが、彼らにとっては合理的であったからである。それらを列記すると、次のようになる。

アドリア海の中央にあるザーラ、これは遠征途中で、すでにヴェネツィアのものになっていた。

アドリア海の出口を見張る場所にある、ドゥラッツォ。

イオニア海に入って最初の島コルフは、いったんヴェネツィア領になったが、数年後に放棄し、最終的にヴェネツィアが領有するようになるのは、一三八六年からである。

しかし、チェファロニア島は、その代りとしてか保持した。

そして、ペロポネソス半島の先端のモドーネとコローネの岬。この二つの基地は、「ヴェネツィア共和国の二つの眼」と呼ばれるようになる。

同じく南端でクレタに近い、チェリゴットの島々。

ペロポネソス半島をまわってエーゲ海に入る入口の、テルミシオーネ。しかし、これも、一三八六年に、戦略上の理由で、湾の中のナウプリオンとアルゴスの領有に変える。

エーゲ海では、ミロス、パロス、ナクソス、ミコノス、スタンパリア、ティノス、アンドロス等の島々。しかし、これら全部をヴェネツィア直轄《ちょっかつ》領とするのは、共和国の力にあまったので、ヴェネツィアの有力な家族に分け与えた。彼らが本国の方針に忠実であったことは言うまでもない。

サヌード家は、ナクソス、ミロス、パロスの島を領し、キージ家は、ミコノスとティノス、ジュスティニアン家は、シフォスとゼアの島、クィリーニ家は、スタンパリア島、ダンドロ家は、アンドロスを領する。

これらの家族は、二男、三男が家族を連れて移住し、島の領有というよりも、経営に当った。これらの島々の持つ海軍はなかなかに優秀で、しばしば本国の要請に応《こた》えて、本国の海軍と合流したり、また、独自に軍事行動を遂行したりして、母国に貢献することになる。


しかし、エーゲ海を手中にするためには最も主要な基地ネグロポンテ（エウベア）は、ヴェネツィア共和国が直接に、しかも全島を領有する。ここを押えることは、コンスタンティノープルへの道を押えることと同然だからであった。

そして、最後にクレタ島である。東地中海では最大の島であるクレタは、今日でも東地中海に浮ぶ空母、と言われ、第二次大戦でも、イギリス軍とドイツ軍の死闘が行われたところで、戦略基地としての重要性は計り知れない。しかも、ヴェネツィアにとっては、戦略要地としてだけでなく、エジプトをはじめとする北アフリカ沿岸の都市との交易の中継基地として、なんとしても確保したい島であった。

しかし、領土分割の時に、クレタは、モンフェラート侯の領有地にふくまれていた。それをヴェネツィアは、彼らの権利だったテッサリアの土地に一万マルクをそえて侯に提供し、クレタ島と交換したのである。もちろん、これほどの執着を示したくらいだから、直轄領となる。

そして、このクレタを、ヴェネツィア人は、文字どおり死守するのである。ドイツに抗戦したイギリス以上のねばり強さと、それ以上の犠牲を払うことによって。

こうして、ヴェネツィアの〝高速道路〟は完成した。十万人前後の人口しか持たない国が、東地中海全域を着実に押えて交易大国になるには、合理的で現実的な地固めが必要である。ヴェネツィア人は、第四次十字軍という好機を十二分に活用して、それを完成させたのであった。

しかし、第四次十字軍は、冒頭に述べたように大変に評判が悪い。ランシマンをはじめとする欧米の歴史学者たちが、この第四次十字軍を裁く理由は、およそ三つに大別できると思う。

第一に、コンスタンティノープル落城時の、文明の破壊と住民に対する釈明しよう

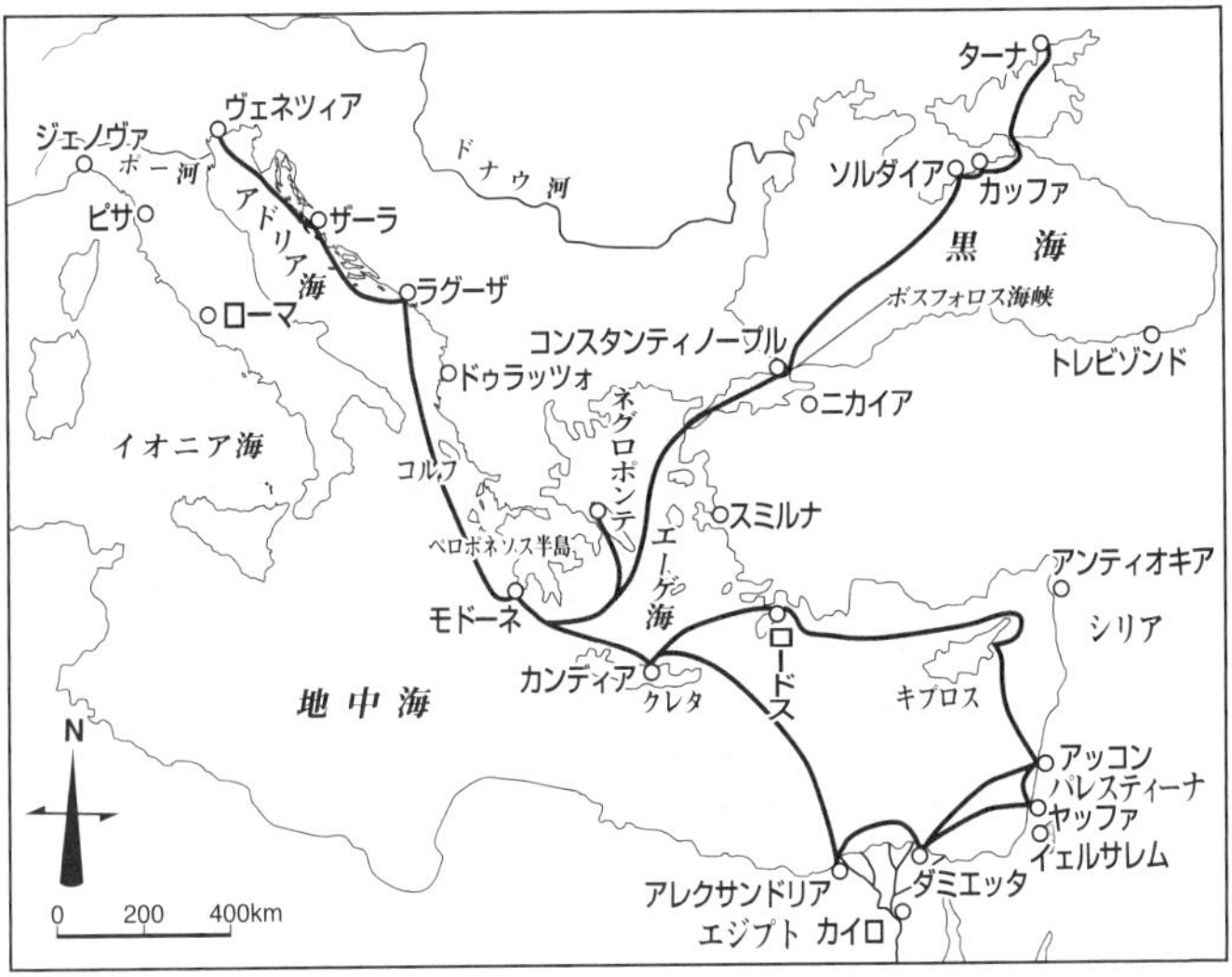

東地中海域のヴェネツィアの〝高速道路〟

もない暴虐行為。

第二に、十字軍精神が汚されたことによって、以後の十字軍運動の勢いをくじき弱めてしまったこと。

第三は、対イスラム教徒の防壁の役割を果していたビザンチン帝国の力を弱めたこの事件は、それ以後のイスラム教徒の攻勢を防ぐに際し、キリスト教世界を非常に不利な立場におく結果になったこと。

私個人は、学者たちの調査研究の広さと深さに、心からの敬意を払う者である。しかし、これらの理由によって裁くことには、なんとしても納得がいかない。

まず、第一の理由だが、破壊と残虐行為は、第一次十字軍のイェルサレム征服や、第三次十字軍のリチャード獅子心王の行為を見ても、どうやらこれは、当時では通常の行為と判断するしかないようである。

私個人としては、確実にあの時代までは残っていたと言われる古代ギリシア・ローマの多くの書物が失われたのは、実に残念に思うが、歴史は、ローマ帝国崩壊の時やアレクサンドリア図書館の焼失をはじめとして、どれほど多くの文明の破壊を、われわれに思い出させてくれるであろうか。しかも、その多くの場合、キリスト教徒は他の教徒に比べて、その狂暴さでは決して劣るものではなかったのである。

われわれにとっての唯一の救いは、勝利者が、それらの価値をわかるセンスを持ち合わせていた場合である。貴重な人類の遺産で大英博物館を満たそうと、聖《サン》マルコ寺院をはじめとするヴェネツィアを飾ろうと、私はそこに、なんの差も認めない。

第二の理由については、まさにこれらの学者たちの言うとおりである。第四次十字軍は、聖地を回復するはずのものが領土欲にしかすぎないということを白日の下《もと》にさらし、それを満足させるために、わざわざ苦労をして辺鄙《へんぴ》なパレスティーナまで行く必要がないということも、示してくれたのであった。すでにパレスティーナに行っていた者まで、ラテン帝国創立の報を聞いて、そこを捨て、コンスタンティノープルへ来る者が多かったのである。十字軍精神は地に落ちたのであった。十字軍運動は、第四次のそれを機に、下降線をたどってやがて消滅する。

しかし、十字軍史研究から離れて考えれば、第四次十字軍は、言われるほどの害悪をもたらしたであろうか。

神はわれらとともにある、という確信は、往々にして、自分たちと同じように考えない者は悪魔とともにある、だから敵である、という思いこみにつながりやすい。私には、それが物欲をともなわない高貴なものであろうとも、絶対に同意するわけにはいかない。イスラム教徒が始め、そしてキリスト教徒に受け継がれた聖戦思想は、それがせめて、十字軍運動としては消滅したのは、大変にけっこうだと思うくらいである。

十字軍史の中で、もう一つ評判の悪い十字軍がある。フリードリッヒ二世の率いた第五次十字軍である。この、完全に客観的に判断することのできた皇帝は、一戦も交えずにイェルサレムに入城し、外交交渉で、キリスト教徒たちの聖地巡礼の権利を、イスラム教徒側に認めさせた。だが、イスラム教徒を一人も殺さなかったがために、西欧ではひどく非難され、法王は彼を破門にし、キリスト教会の敵との烙印《らくいん》を押したのであった。この後に十字軍を率い、イスラム教徒に戦いを挑んで敗れ、イェルサレムに近づくこともできずに死んだフランスのルイ王は、聖人に列せられる。

第三の理由だが、これは、歴史を現代から振りかえって眺め、それによって判断をくだすか、またはそれをしないかの史観のちがいで、そのちがいによって歴史的事実がどのように裁かれるかを示す、格好の例であるように思われる。

いかに深謀遠慮に長《た》けた人でも、事件の渦中にいて、その時点で予測可能な事態と、予測不可能な事態があるものである。百年後のオスマン・トルコ帝国創立を予測し、それが二百五十年後に、ビザンチン帝国を最終的に崩壊させるほどの勢力になり、西欧世界を震駭《しんがい》させるようになることまで予測できた人がいたとしたら、それはもう神であろう。神と同等の能力を要求して、それがなかったとして裁くのは、歴史家の取るべき態度とは思われない。

ヴェネツィア史に関する書物の中で、参考に価する書物の多くが、イギリス人によって書かれたものである。どうやらイギリス人は、海洋国家同士という親近感によるのか、ヴェネツィアが好きらしい。だが、それらの中に、モラリストぶりが見えてくることがある。自分の国を一番と考えるイギリス人の癖で、いかに好きでも、ヴェネツィアの歴史は、他国の歴史だからかもしれない。しかし、イギリス史を少しは知っている者にとっては、モラリストぶるイギリス人ほど、片腹痛いものはない。アイルランドに、こんなジョークがある。

「なぜ、大英帝国には落日がないのだろう」

「神様が、日が沈んだ後のイギリス人のやることを信じないからさ」

モラリストでなかった頃のイギリス人は、なんとすばらしかったことだろう。『ローマ帝国衰亡史』を書いたギボンは、そういう時代のイギリス人だ。

そして、ヴェネツィア人も、道徳家の殻をかぶったほうが有利と判断した場合以外は、一度もモラリストであろうとしたことのなかった民族であった。

図版出典一覧

カバー	エルハルト・ロイヴィッヒ画　ベルンハルト・フォン・ブライデンバッハ著 『聖地巡礼』(1486) の挿絵　© The British Library
pp. 10-11	地図「15世紀のヴェネツィア」(「ヴェネツィア鳥瞰図」を使用　ヤコポ・デ・バルバーリ画　1500年 コレール博物館、ヴェネツィア　© Scala, Firenze)
各章扉	ヤコポ・デ・バルバーリ、カナレットによる版画
p. 44	コレール博物館　© Museo Correr, Venezia
p. 54	作画：峰村勝子
p. 63	同上
p. 85	p. 44に同じ
p. 102	「昇天祭でのブチントーロの出発」より　フランチェスコ・グアルディ画　ルーヴル美術館（パリ／フランス）© Scala, Firenze
p. 111	p. 54に同じ
p. 153	ギュスターヴ・ドレ画　ジョセフ・フランソワ・ミショー著『十字軍物語』(1875) の挿絵　個人蔵
p. 205	ヤコポ・パルマ画　パラッツォ・ドゥカーレ（ヴェネツィア）© Scala, Firenze

地図作製：綜合精図研究所　(p. 23, p. 34, p. 51, p. 69, p. 95,
p. 137, p. 198, p. 231)

海《うみ》の都《みやこ》の物語《ものがたり》

ヴェネツィア共和国の一千年

1

新潮文庫　し - 12 - 32

平成二十一年六月一日発行

著者　塩《しお》野《の》七《なな》生《み》

発行者　佐藤隆信

発行所　株式会社　新潮社

郵便番号　一六二—八七一一
東京都新宿区矢来町七一
電話 編集部(〇三)三二六六—五四四〇
読者係(〇三)三二六六—五一一一
http://www.shinchosha.co.jp

価格はカバーに表示してあります。

印刷・錦明印刷株式会社　製本・錦明印刷株式会社

ISBN978-4-10-118132-5 C0122